SONHO GRANDE

Cristiane Correa

SONHO GRANDE

Como Jorge Paulo Lemann, Marcel Telles e
Beto Sicupira revolucionaram o capitalismo
brasileiro e conquistaram o mundo

PRIMEIRA PESSOA

pesquisa: Débora Tomé
revisão: Luis Américo Costa e Rafaella Lemos
projeto gráfico e diagramação: Marcia Raed
capa: Miriam Lerner
imagem de capa: Webb Chappell
impressão e acabamento: Lis Gráfica e Editora Ltda.

CIP-BRASIL. CATALOGAÇÃO-NA-FONTE
SINDICATO NACIONAL DOS EDITORES DE LIVROS, RJ

C841s

    Correa, Cristiane
      Sonho grande / Cristiane Correa; Rio de Janeiro: Sextante, 2013.
      264 p.; il.; 16 x 23 cm

      ISBN 978-85-7542-910-5

      1. Cultura organizacional. 2. Administração de empresas.
    3. Negócios - Administração. I. Título.

13-1265
                         CDD: 658.406
                         CDU: 658.012.32

Todos os direitos reservados, no Brasil, por
GMT Editores Ltda.
Rua Voluntários da Pátria, 45 – Gr. 1.404 – Botafogo
22270-000 – Rio de Janeiro – RJ
Tel.: (21) 2538-4100 – Fax: (21) 2286-9244
E-mail: atendimento@sextante.com.br
www.sextante.com.br

Sumário

Prefácio

"No final das contas, sou um professor.
É assim que realmente me vejo."
– Jorge Paulo Lemann

Meu relacionamento com essa história notável começou no início da década de 90 numa sala de aula da Graduate School of Business da Universidade Stanford. Eu estava conduzindo uma discussão em um programa executivo sobre como uma grande empresa pode se perpetuar. Sentado na primeira fila estava um sujeito discreto, vestindo calças de algodão simples e uma camisa esporte, sem chamar nenhuma atenção. Ele se mostrou interessado quando comecei a gesticular fortemente ao citar o Walmart e apontar o empresário Sam Walton como um exemplo. Descrevi como Walton forjou uma cultura e desenvolveu uma ótima organização, e que aquilo explicava melhor o sucesso da rede varejista do que a estratégia do negócio. Sustentei que Sam Walton preferia "construir relógios" a "dizer a hora", e que estava desenvolvendo o Walmart para que o grupo não precisasse depender da genialidade visionária e da personalidade carismática do empresário. O executivo na fila da frente levantou a mão e me desafiou: "Olha, conheço o Sam pessoalmente e discordo de você. Acho que ele é fundamental para o sucesso do Walmart e que sua visão o levou bem longe."

"Sim", reconheci. Em seguida retruquei: "Mas você não acha que a verdadeira grandeza ocorre apenas quando se consegue desenvolver uma empresa capaz de prosperar bem além de qualquer líder individual?"

Continuamos nossa discussão no corredor e percebi que o executivo ficou impressionado com a ideia da grandeza duradoura, mais forte que uma simples geração ou liderança individual. Ele me perguntou se eu estaria interessado em viajar ao Brasil para compartilhar minhas ideias com seus dois sócios e sua empresa. Eu não sabia que naquele momento fortuito nasceria uma das amizades de negócios mais estimulantes de minha vida.

O nome do executivo era Jorge Paulo Lemann, seus sócios eram Marcel Herrmann Telles e Carlos Alberto Sicupira, e sua empresa era o banco de investimentos Garantia. Eu não conhecia nada sobre eles, por isso perguntei a um aluno brasileiro do MBA: "Ei, já ouviu falar desses sujeitos?" Ele me olhou como se eu estivesse maluco, como se estivesse fazendo uma pergunta do tipo: "Já ouviu falar de Warren Buffett ou Bill Gates ou Steve Jobs?" Aí me mostrou um artigo sobre o banco de investimentos e contou a saga de como eles reuniram uma equipe de jovens fanáticos e transformaram uma minúscula corretora numa das potências de investimentos da América Latina.

Aí o estudante de MBA acrescentou: "Ah, e eles entraram no mercado de cerveja agora."

"Mercado de cerveja?", pensei comigo. "Que diabos um banco de investimentos está fazendo no mercado da cerveja?" Se alguém tivesse me contado que aqueles banqueiros sonhavam em construir a maior empresa de cerveja do mundo e comprar a Anheuser-Busch no processo, eu teria dito: "Isto não é uma visão, é um delírio." Mas foi exatamente o que fizeram.

Há quase duas décadas estou próximo dessa companhia, da sua cultura e de seus três sócios. Tive o privilégio de observar o desenvolvimento dessa história de sucesso. Acredito que o principal motivo para nos tornarmos tão amigos foi o fato de eles refletirem profundamente sobre a pergunta que tem ocupado minha própria curiosidade intelectual durante essas duas décadas: o que é preciso para construir uma grande empresa duradoura? Quando Jerry Porras e eu publicamos *Feitas para durar* em 1994, eles instintivamente gravitaram em torno dessas ideias, em particular do sonho de criar uma ótima companhia que realmente durasse.

Gostaria de compartilhar aqui as 10 principais lições que aprendi ao longo dos anos com a jornada deles:

1) INVISTA SEMPRE – E ACIMA DE TUDO – NAS PESSOAS. Esses empresários certamente têm uma grande dose de genialidade financeira, mas essa não é a base de seu sucesso. Desde o princípio eles investiram em pessoas, especialmente em líderes jovens e talentosos. Sua filosofia: melhor dar uma chance às pessoas talentosas (ainda que novatas) e sofrer algumas decepções no caminho do que não acreditar nelas. O ingrediente número um de seu molho secreto é uma obsessão em conseguir as pessoas certas, investir nelas, desafiá-las, construir a empresa com sua ajuda e vê-las experimentar a alegria de realizar um grande sonho. Igualmente importante é conservar os talentos por um longo tempo. É interessante observar que os três sócios trabalham juntos há quatro décadas e estão unidos como nunca. E muitos dos melhores jovens que eles recrutaram permaneceram intensamente envolvidos por muitos anos, como o atual CEO da AB InBev, Carlos Brito. Eles não apenas colocaram as pessoas certas no ônibus, mas as mantiveram lá por muito tempo.

2) SUSTENTE O IMPULSO COM UM GRANDE SONHO. Gente boa precisa ter coisas grandes para fazer, senão leva sua energia criativa para outro lugar. Assim, os três construíram um mecanismo que tem duas premissas básicas: primeiro recrute as melhores pessoas e depois dê a elas coisas grandes para fazer. Em seguida atraia mais gente boa e proponha a próxima coisa importante a fazer. Repita o processo indefinidamente. Foi assim que eles mantiveram o ímpeto ao longo do tempo. Eles sempre vibraram com a ideia de metas grandes, arriscadas e audaciosas, e desenvolveram uma cultura para alcançá-las. Ao observá-los, aprendi que, para conservar o ímpeto e portanto preservar gente boa, vale a pena correr os riscos inerentes à busca pelas grandes metas. É como uma ótima equipe de alpinismo. Por um lado, existe o risco de subir uma montanha alta, depois uma montanha ainda mais alta, e depois a seguinte. Por outro lado, se você não tiver novas montanhas altas para escalar, deixará de se desenvolver e crescer, e perderá seus melhores alpinistas. Grandes alpinistas necessitam de grandes montanhas para escalar, sempre e indefinidamente.

3) CRIE UMA CULTURA MERITOCRÁTICA COM INCENTIVOS ALINHADOS. Eles desenvolveram uma cultura coerente que dá às pessoas a oportunidade de compartilhar as recompensas do sonho grande. Essa cultura valoriza o desempenho, não o status; a realização, não a idade; a contribuição, não o cargo; o talento, não as credenciais. Misturando estes três ingredientes – sonho, pessoas e cultura –, eles criaram uma receita para o sucesso sustentado. Se você pudesse dar uma contribuição significativa e gerar resultados, dentro dos limites da cultura, se sairia bem. Se tivesse as melhores credenciais do mundo, mas não conseguisse mostrar um desempenho excepcional, seria eliminado. Os três sócios acreditam que as melhores pessoas anseiam pela meritocracia, enquanto as pessoas medíocres têm medo dela.

4) VOCÊ PODE EXPORTAR UMA ÓTIMA CULTURA PARA SETORES E GEOGRAFIAS AMPLAMENTE DIVERGENTES. É notável como esse modelo foi transferido de um banco de investimentos para uma cervejaria; do Brasil para a América Latina; depois para a Europa e os Estados Unidos, e agora para todo o mundo. Para Lemann, Telles e Sicupira, a cultura não é um apoio à estratégia; a cultura é a estratégia. Os três sócios sempre foram fiéis aos seus valores centrais e a uma cultura inconfundível, enquanto continuaram crescendo em setores novos, expandindo-se geograficamente e apontando para metas cada vez maiores – um belo exemplo da dinâmica "preserve a essência e estimule o progresso", encontrada em todas as empresas duradouras. Nos primórdios, os três olharam do Brasil para os Estados Unidos e viram o que já funcionava. Então, em vez de aguardarem que aquilo chegasse ao Brasil, agiram agressivamente para importar as melhores práticas americanas antes dos outros.

5) CONCENTRE-SE EM CRIAR ALGO GRANDE, NÃO EM "ADMINISTRAR DINHEIRO". Eles atingiram a maturidade durante uma época economicamente turbulenta no Brasil, e certa vez perguntei: "O que vocês aprenderam sobre administrar dinheiro nessa época tão incerta e inflacionária?" A resposta: "Quando todos os outros estavam gastando seu tempo administrando o dinheiro, investimos nosso tempo na empresa. Desenvolvê-la seria a melhor forma de gerar riqueza a longo prazo. Administrar dinheiro, por si, nunca cria algo grande e duradouro, mas desenvolver algo grande pode levar a resultados substanciais."

Quando tomaram a decisão de comprar a cervejaria Brahma, muitos observadores esperavam que eles simplesmente a usassem para um rápido ganho financeiro. Agora, mais de duas décadas depois dessa compra, podemos comprovar que eles nunca a viram como uma transação financeira, e sim como um passo para o crescimento.

6) A SIMPLICIDADE TEM MAGIA E GENIALIDADE. Em quase todas as dimensões, os três buscam ser simples. Eles usam trajes bem comuns – você não os notaria numa multidão. Sempre mantiveram escritórios modestos, nunca se isolando de seu pessoal. Sempre usaram a riqueza não para a opulência, *mas para simplificar suas vidas*, para que pudessem se concentrar em continuar desenvolvendo a empresa. (Aprendi com eles que o melhor sinal da verdadeira riqueza não é manter uma agenda lotada, mas ter tempo disponível para se concentrar no que é mais importante.) A estratégia é muito simples: *tenha gente boa, dê a esse pessoal coisas grandes para fazer e sustente uma cultura meritocrática*. Em essência, não é mais complicado do que isso. A verdadeira genialidade não é tornar uma ideia complexa, mas o contrário: transformar um mundo complexo em uma ideia bem simples – e ater-se a ela por um longo tempo.

7) É BOM SER FANÁTICO. Certa vez perguntei: "Qual é a essência do tipo de pessoa que vocês buscam?" A resposta: "Fanáticos." Vivemos numa época em que as pessoas querem uma solução rápida, um atalho para resultados excepcionais. Mas não existe esse caminho fácil. Existe apenas um esforço intenso, de longo prazo, sustentado. E o único meio de construir esse tipo de empresa é ser fanático. As pessoas obcecadas não se tornam as mais populares, já que com frequência intimidam as outras. Mas, quando os fanáticos se reúnem com outros fanáticos, o efeito multiplicador é irrefreável.

8) DISCIPLINA E CALMA (NÃO VELOCIDADE) SÃO A CHAVE DO SUCESSO EM MOMENTOS DIFÍCEIS. Quando a crise financeira de 2008 estourou, a cervejaria tinha acabado de se endividar em mais de 50 bilhões de dólares para a histórica aquisição da Anheuser-Busch. Nos anos anteriores, o conselho de administração havia viajado para passar algum tempo comigo no meu laboratório em Boulder, Colorado. Esses encontros no alto da montanha tornaram-se as ocasiões em que o conselho enfrentava as questões principais. Ao iniciarmos a reunião de Boulder de dezembro de 2008, eu esperava que eles demonstrassem certa preocupação com

aquele cenário. Em vez disso, fiquei surpreso com o jeito calmo e ponderado com que navegavam por um período de tremendo perigo. Em momento algum observei pânico, apenas um espírito de avaliação cuidadosa de opções seguida de decisões calculadas. Em épocas de incerteza e caos, as pessoas muitas vezes querem agir o mais rápido possível, como se isso fizesse a crise ir embora. O conselho da AB InBev seguiu uma filosofia diferente: entendam quanto tempo vocês têm para tomar decisões, usem esse tempo para tomar as melhores decisões possíveis e mantenham a calma. "Claro que é da natureza humana querer fazer com que a incerteza vá embora", disse um deles. "Mas esse desejo pode levá-lo a agir rápido, às vezes rápido demais. De onde eu venho, você logo percebe que a incerteza jamais desaparecerá, não importa quais decisões ou ações tomemos. Portanto, se temos tempo para a situação se desenrolar, dando-nos mais clareza antes de agirmos, aproveitamos esse tempo. Claro que, quando chega a hora, você precisa estar preparado para agir com firmeza."

9) UM CONSELHO DE ADMINISTRAÇÃO FORTE E DISCIPLINADO PODE SER UM ATIVO ESTRATÉGICO PODEROSO. Quando brasileiros e belgas se uniram para formar a maior empresa de cerveja do mundo, as pessoas se perguntaram como aquelas duas culturas poderiam coexistir. No entanto, elas se tornaram um todo unificado. Isso aconteceu porque todos os envolvidos tinham uma única meta: fazer o melhor para criar uma empresa vencedora e duradoura.

Nos Estados Unidos, a maioria dos conselhos de administração tem influência moderada, e o poder se concentra basicamente no principal executivo. Os conselhos só tendem a se tornar significativos quando chega a hora de substituir um CEO que está falhando. Na AB InBev, porém, o conselho é o principal centro de poder. É um exemplo de como os conselhos podem desempenhar um papel central em definir metas audaciosas, desenvolver a estratégia, sustentar a cultura, agarrar oportunidades e liderar em períodos tumultuados. Sem esse conselho forte e unificado, a AB InBev não teria enfrentado os desafios que surgiram a partir de 2008 com a força que demonstrou (e talvez nem sequer os tivesse superado). Ainda mais importante é que o conselho toma decisões e aloca capital visando o valor *de longo prazo* para os acionistas, medido em várias décadas, não em trimestres. Se mais conselhos agissem assim, teríamos empresas mais longevas e com melhor desempenho.

10) BUSQUE CONSELHEIROS E PROFESSORES, E CONECTE-OS ENTRE SI. Desde cedo em sua carreira, Jorge Paulo Lemann buscou ativamente pessoas com quem pudesse aprender. E fazia peregrinações para visitá-las: o grande industrial japonês Konosuke Matsushita [fundador da Panasonic], o varejista visionário Sam Walton, o grande gênio financeiro Warren Buffett. Mas não apenas isso: também achou meios de conectar essas pessoas extraordinárias umas às outras. Ele não estava "fazendo conexões" da maneira tradicional, mas facilitando interações entre gente excepcional, estimulando o potencial aprendizado de todos. O interessante foi que, ao adentrar sua quinta, sexta e sétima década de vida, ele continuou essa busca por aprendizado, muitas vezes procurando conselheiros e professores mais jovens do que ele. Os três continuam com o espírito de estudantes, aprendendo com os melhores e depois ensinando à próxima geração. Suponho que Jorge Paulo Lemann, Carlos Alberto Sicupira e Marcel Herrmann Telles me viram como um professor. Mas a grande ironia é que tenho sido o tempo todo um estudioso voraz dos três.

Tendo estudado o desenvolvimento de algumas das empresas mais extraordinárias de todos os tempos e os empresários e líderes que as construíram, posso dizer definitivamente que a trajetória dos três deve deixar os brasileiros imensamente orgulhosos. Eles estão no mesmo nível de visionários dos negócios como Walt Disney, Henry Ford, Sam

Walton, Akio Morita e Steve Jobs. E é uma história que líderes do mundo inteiro deveriam conhecer, como uma fonte de aprendizado e inspiração.

O melhor de tudo é que a história ainda não terminou, já que esses fanáticos nunca param de se perguntar, por mais que já tenham alcançado: *o que vem a seguir?*

Jim Collins

Boulder, Colorado, EUA

4 de janeiro de 2013

A construção de um império
Os principais fatos da trajetória do trio

Jorge Paulo começa a trabalhar na corretora Libra, controlada pelo Banco Aliança. De largada, recebe uma fatia de 13% da firma.

Jorge Paulo conclui, em três anos, o curso de economia da Universidade Harvard.

Carlos Alberto Sicupira nasce no Rio de Janeiro.

| 1939 | 1948 | 1950 | 1961 | 1963 | 1967 |

Jorge Paulo Lemann nasce no Rio de Janeiro.

Marcel Herrmann Telles nasce no Rio de Janeiro.

De volta ao Rio após um estágio no Credit Suisse, em Genebra, Jorge Paulo é contratado pela financeira Invesco. A firma, da qual se torna sócio, quebra três anos depois.

Jorge Paulo, Beto e Marcel fundam a GP Investimentos, a primeira empresa de private equity do Brasil (um negócio independente do Garantia). Beto sai da Lojas Americanas para se dedicar à GP.

Abalado pelos efeitos da crise asiática e do enfraquecimento de sua cultura, o Garantia é vendido para o Credit Suisse por 675 milhões de dólares.

Jorge Paulo, Marcel e Beto vendem parte de suas ações na GP Investimentos para uma nova geração de sócios, comandada por Antonio Bonchristiano e Fersen Lambranho. No ano seguinte, o trio venderia o restante de sua participação e deixaria o negócio completamente.

| 1989 | 1993 | 1994 | 1998 | 1999 | 2003 |

Por 60 milhões de dólares, o Garantia adquire a cervejaria Brahma. O escolhido para tocar a empresa é Marcel, que se afasta do dia a dia do banco.

O Garantia tem o melhor ano de sua história, com um lucro de quase 1 bilhão de dólares.

A Brahma compra a rival Antarctica e forma a Ambev.

Com um grupo de sócios, Jorge Paulo compra o título da corretora Garantia.

Beto, que conhecera Jorge Paulo praticando pesca submarina, começa a trabalhar na corretora.

O Garantia compra a Lojas Americanas. Beto deixa suas funções no banco para comandar a varejista.

1970   1971   1972   1973   1976   1982

Depois de tentar, sem sucesso, comprar o controle da Libra, Jorge Paulo deixa a empresa.

Marcel é contratado pela corretora. Suas primeiras semanas de trabalho são como liquidante, uma espécie de office boy de luxo da época.

O banco americano JP Morgan tenta comprar a corretora Garantia. Jorge Paulo desiste do negócio e decide entrar no ramo de bancos de investimentos, fundando o Garantia.

O trio de empresários inicia as atividades do 3G, fundo cujo objetivo é investir em empresas americanas. Alexandre Behring é escolhido para comandá-la.

A InBev compra a americana Anheuser-Busch, fabricante da Budweiser, por 52 bilhões de dólares. A nova empresa, batizada AB InBev, é a maior cervejaria do planeta. O carioca Carlos Brito se torna seu principal executivo.

O 3G anuncia a aquisição da fabricante de alimentos americana Heinz por 28 bilhões de dólares. O sócio dos brasileiros na empreitada é o megainvestidor Warren Buffett.

2004   2006   2008   2010   2013

A belga Interbrew compra a Ambev, formando a InBev. Pelo acordo, Jorge Paulo, Marcel e Beto tornam-se acionistas da nova cervejaria. Com o passar do tempo, eles aumentariam sua participação acionária na InBev até se tornarem seus maiores acionistas individuais.

A americanas.com, braço de comércio eletrônico da Lojas Americanas, compra o Submarino, fundado pela GP Investimentos em 1999.

Por 4 bilhões de dólares, o 3G compra o controle mundial da rede de fast-food americana Burger King.

Os "invasores"
da Anheuser-Busch

O empresário carioca Jorge Paulo Lemann viajava pelo deserto de Gobi, no final de maio de 2008, quando seu BlackBerry começou a tocar insistentemente. Ele passava férias na Ásia, acompanhado da esposa, Susanna, e de um casal de amigos – o ex-presidente Fernando Henrique Cardoso e sua mulher, Ruth. O grupo estava ansioso por desbravar um dos cinco maiores desertos do mundo, localizado no norte da China e sul da Mongólia, por onde se estendem montanhas rochosas, planícies cobertas de cascalho e dunas em constante movimento. Ali as temperaturas são extremas – os termômetros chegam a marcar mais de 40ºC no verão e -40ºC no inverno. Embora fizesse o possível para não atrapalhar a programação turística, Jorge Paulo não deixava o telefone de lado. A situação era urgente. Havia meses que ele e seus sócios, os também cariocas Marcel Herrmann Telles e Carlos Alberto Sicupira, controladores e membros do conselho de administração da cervejaria belgo-brasileira InBev (dona da Ambev), vinham estruturando um plano para adquirir a americana Anheuser-Busch (AB), fabricante da cerveja mais vendida no mundo, a Budweiser.

Bancos, advogados e um reduzido grupo de executivos da InBev trabalhavam em sigilo absoluto no projeto Amsterdam, como foi batizado o plano de compra. A aquisição transformaria a empresa resultante da combinação entre InBev e AB em uma das quatro maiores empresas de consumo do mundo, atrás dos colossos Procter & Gamble, Coca-Cola e Nestlé. A compra de um símbolo do capitalismo americano não apenas seria o maior negócio já fechado pelo trio formado por Jorge Paulo, Marcel e Beto (como eles são chamados dentro e fora de suas empresas), como os transformaria de forma incontestável nos empresários brasileiros com maior alcance global.

Tudo parecia estar sob controle até que o segredo foi exposto ao mundo às 14h29 do dia 23 de maio, quando o blog Alphaville, do jornal inglês *Financial Times*, publicou na internet a informação de que a InBev preparava uma oferta de 46 bilhões de dólares pela centenária companhia americana. A notícia trazia detalhes sobre o modelo de financiamento da compra, os nomes dos envolvidos na estruturação do negócio e quando teriam ocorrido as primeiras sondagens a August Busch IV, principal executivo da AB e membro da família que batizava a cervejaria. Ignorar o vazamento dessa matéria, que poderia colocar todo o plano em risco, simplesmente não era uma opção para Jorge Paulo, ainda que ele estivesse "perdido" no meio do maior deserto da Ásia. "Durante toda a viagem pela China ele manteve a calma. Resolvia tudo pelo celular, com muita objetividade", lembra Fernando Henrique Cardoso, que, segundo ele mesmo, tornou-se amigo de Jorge depois de deixar a presidência da República. Era a primeira vez que eles faziam uma viagem de turismo juntos.

Entre passeios de camelo e a orquestração do negócio mais ambicioso de sua vida, Jorge Paulo só evitou responder o e-mail de uma pessoa: Busch IV, que ficara estupefato ao ler na internet a notícia de que corria o risco de perder a companhia fundada por sua família e lhe escrevera pedindo explicações. Jorge Paulo precisava pensar qual seria a melhor forma de contar ao principal executivo da AB que a InBev de fato pretendia colocar as mãos em sua empresa – e essa não seria uma conversa fácil. Era melhor esperar um pouco antes de dizer qualquer coisa.

~

A investida do trio de brasileiros pode ter surpreendido a Anheuser-Busch, analistas, investidores e jornalistas de todo o mundo, mas era um movimento com o qual Jorge Paulo Lemann, Marcel Telles e Beto Sicupira vinham sonhando desde 1989, quando compraram o controle da cervejaria Brahma, sediada no Rio de Janeiro. Na época, eles não entendiam nada sobre o setor cervejeiro. Suas fortunas foram construídas no banco de investimentos Garantia, uma instituição criada por Jorge Paulo em 1971 e que fez história no Brasil por ter incorporado conceitos então quase desconhecidos por aqui, como meritocracia (remunerar e promover funcionários com base apenas em seu desempenho, sem levar em conta fatores como tempo de casa) e *partnership* (oferecer aos melhores a oportunidade de se tornarem sócios da firma). Marcel e Beto, oriundos da classe média do Rio de Janeiro, eram a personificação dessa filosofia – ambos foram contratados por Jorge Paulo nos primeiros anos do Garantia e ascenderam no banco até se tornarem os principais sócios do fundador.

No início da década de 80, Beto deixou o dia a dia do banco para comandar a varejista Lojas Americanas, recém-adquirida pelo Garantia. Até então nenhum banco de investimentos brasileiro havia comprado uma companhia para assumir sua gestão. Depois foi a vez de Marcel Telles abandonar o mercado financeiro para se dedicar à transformação da combalida cervejaria numa empresa de nível internacional. A Brahma que Marcel encontrou era uma modestíssima fração da Anheuser-Busch, na época a maior fabricante de cerveja do mundo. "Eu falava na companhia que um dia a gente ia comprar a Anheuser-Busch e dava risada... Tinha sempre um 'hahaha' no final pra nego não achar que eu era maluco... Mas já era um sonho, um sonho que você vai tateando e aos poucos vê que tem chance de ficar mais próximo", disse Marcel certa vez.

Até chegar à oferta pela AB foi preciso trilhar um longo caminho que teve como principais passos a compra da paulista Antarctica para formar a Ambev (em 1999) e a negociação com a belga Interbrew, que deu origem à InBev (em 2004). Em 2008, quase duas décadas depois de comprarem a Brahma, Jorge Paulo, Marcel e Beto finalmente chegavam perto de engolir a gigante Anheuser-Busch – e não seria o vazamento da notícia que iria impedi-los de levar o plano adiante.

O silêncio de seus possíveis algozes deixava August IV, conhecido como "o Quarto", desconcertado. Ele e sua equipe se perguntavam se aquele bando de brasileiros teria mesmo coragem de enfrentar um símbolo americano. A verdade é que, apesar da tradição e de seu tamanho, a Anheuser-Busch já não tinha mais o mesmo brilho do passado. Fundada por um grupo de imigrantes alemães em 1852, em St. Louis, cidade às margens do rio Mississippi, a cervejaria foi inicialmente chamada de Bavarian Brewery. Oito anos depois de abrir suas portas, foi comprada por Eberhard Anheuser, um empresário local que fizera dinheiro com uma fábrica de sabão. Com a chegada de Adolphus Busch, genro de Eberhard, a empresa começou a deslanchar. Adolphus lançou a marca Budweiser em 1876, comprou 50% da participação do sogro e deu à companhia o nome Anheuser-Busch. Desde então, a AB se manteve como uma empresa familiar, em que o comando era passado de geração em geração. A iniciação de cada membro da família à vida na cervejaria começava, literalmente, no berço – a tradição mandava que os herdeiros homens do clã fossem alimentados com cinco gotas de Budweiser horas depois de nascer.

A fórmula funcionou durante várias décadas. No final do século passado, a AB chegou a dominar 60% do mercado americano e se tornou a maior do mundo em faturamento no seu ramo. Como acontece com tantas grandes corporações, depois do auge veio o declínio. Concentrada nos Estados Unidos, a companhia desperdiçou a oportunidade de se internacionalizar, enquanto concorrentes como a InBev se expandiam por diversas partes do mundo. Os resultados da companhia patinavam. Para piorar, seus herdeiros e executivos continuavam a levar a vida cheia de mordomias a que estavam habituados, como a jornalista americana Julie Macintosh relata no livro *Dethroning the King – The Hostile Takeover of Anheuser-Busch*. Os Busch e os diretores da cervejaria tinham à disposição uma frota de aeronaves – a "Air Bud", com seis jatinhos e dois helicópteros, que empregava 20 pilotos. Quem não conseguia um lugar nos aviões da companhia estava autorizado a viajar de primeira classe. Hospedagens eram sempre em hotéis cinco estrelas, como o Pierre, em Nova York, e jantares de trabalho triviais batiam na casa dos mil dólares.

A Anheuser-Busch era como uma mãe generosa, que permitia que os filhos mimados comprassem tudo o que lhes desse na telha, inclusive "brinquedos" inusitados, como os parques de diversões Busch Gardens e Sea World, localizados na Flórida. O que uma cervejaria tem a ver com montanhas-russas e golfinhos amestrados é difícil de imaginar, mas para os executivos da AB isso não parecia ser um problema.

Na InBev, onde custo alto sempre foi sinônimo de pecado, não havia a menor possibilidade de existirem excentricidades desse tipo. Executivos viajavam na classe econômica e se hospedavam em hotéis três estrelas (não raro dois profissionais tinham que dividir o mesmo quarto). As refeições em restaurantes eram modestas e regadas, no máximo, a cerveja. Eram mundos opostos que em breve se chocariam.

Os executivos da InBev conheciam muito bem essas diferenças. No final de 2006, as duas cervejarias fecharam um acordo para que a Anheuser-Busch se tornasse a importadora oficial da belgo-brasileira nos Estados Unidos. Para os americanos o negócio representava acesso a marcas globais famosas, como Stella Artois e Beck's, o que poderia ajudar a AB a sair da letargia em que se encontrava. Para a InBev, o movimento era ainda melhor – ganhava um parceiro comercial nos Estados Unidos e poderia ver de perto como a concorrente operava. Sem imaginar o perigo que corria, August IV, um ex-playboy recém-empossado no cargo e que raramente comparecia à sede da companhia, abriu as portas para o carioca Carlos Brito, o CEO da InBev.

Nascido em 1960, Brito cursou MBA em Stanford graças a uma bolsa oferecida por Jorge Paulo Lemann. Ele foi um dos quatro funcionários do Garantia que desembarcaram na Brahma quando o banco comprou a cervejaria. Em décadas de convívio com Jorge Paulo e seus sócios, ele absorveu todos os conceitos do trio e se tornou a quintessência da cultura que eles pregavam, um sujeito absolutamente obcecado por corte de custos e devoto da meritocracia. Avesso a entrevistas e badalações, levava uma vida discreta ao lado da mulher e dos quatro filhos. Era, em tudo, a antítese de August IV – e , por isso mesmo, aproveitou cada milímetro da abertura dada pelo herdeiro depois de selarem o acordo de distribuição. Brito viu de perto o luxo, os excessos, os investimentos que não faziam sentido. Observou atentamente como se davam as relações de poder na cervejaria. Embora os Busch ainda emprestassem seu nome à companhia, o clã detinha apenas 4% de participação na AB, uma fatia inferior, por exemplo, à do megainvestidor Warren Buffett. Tudo isso serviria como uma munição poderosa para traçar a estratégia de conquista da fabricante da Budweiser, uma marca tão emblemática para os americanos que Brito certa vez a descreveu como a "América engarrafada".

~

Diante do silêncio de Jorge Paulo Lemann, August Busch IV decidiu se mexer. Convocou o conselho de administração para uma reunião com banqueiros do Goldman Sachs, seus assessores de longa data, para 29 de maio – seis dias depois do vazamento do blog inglês. Nesse encontro estavam presentes também advogados do escritório

Skaden, Arps, Slate, Meagher & Flom (o Citibank seria contratado pela AB logo depois). O Quarto queria saber se a InBev seria capaz de colocar de pé um financiamento de 46 bilhões de dólares num momento em que o mercado financeiro global dava sinais de problemas – o Banco Bear Sterns, por exemplo, recentemente tivera de ser resgatado às pressas pelo JP Morgan. Além disso, o grupo precisava discutir o que fazer se a proposta fosse realmente apresentada.

A essa altura, Jorge Paulo Lemann já havia respondido ao e-mail do americano. Lacônico, disse apenas que ficara inacessível por alguns dias, em viagem pelo deserto de Gobi. Acrescentou que seria uma boa ideia se os dois se encontrassem. Marcada para 2 de junho, em Tampa, na Flórida, a reunião entre eles foi cercada de cuidados. A pedido de Jorge Paulo, o CEO da AB deveria estar desacompanhado. Nada de assessores, advogados ou consultores. O brasileiro também seguiria sozinho – ou quase, já que Marcel Telles estaria com ele. Colocar de um lado da mesa dois empresários e ex-banqueiros experientes e de outro um herdeiro que mal conhecia a empresa que comandava parecia uma temeridade, mas mesmo assim o Quarto topou o formato. Ele estava ansioso. Queria saber se haveria de fato uma oferta e de quanto ela seria. Jorge Paulo e Marcel eram impenetráveis. Estampavam no rosto a *poker face* lapidada durante anos de trabalho no mercado financeiro. Não alteravam o tom de voz. Não demonstravam pressa, ainda que estivessem tramando o maior negócio de suas vidas. Desconversaram o quanto puderam. Disseram apenas que a InBev tinha de fato interesse em comprar a AB, mas não deixaram escapar nenhum detalhe. De certa maneira, foi uma situação inversa à que ocorrera um ano antes, quando, num encontro informal, Jorge Paulo insinuou para o Quarto que as duas empresas poderiam se juntar. O brasileiro argumentou que, unidas, as operações seriam imbatíveis. O herdeiro da AB não entendeu o recado – ou fez que não entendeu – e ficou tudo por isso mesmo.

Em 11 de junho, somente nove dias depois daquele encontro, a In-Bev formalizou a oferta. De Bruxelas, Brito telefonou para August IV e o informou de que enviaria em instantes uma proposta de compra da AB. A InBev oferecia 65 dólares por ação (um prêmio de 18% em relação ao recorde histórico da cotação do papel), propunha que a sede da nova empresa permanecesse em St. Louis e que a companhia fosse rebatizada como AB InBev, preservando o nome americano. Os executivos da InBev sabiam que preço era algo importante para convencer os acionistas da AB, mas valorizar a tradição da cervejaria centenária seria fundamental para evitar resistências ao negócio – tanto por parte da própria AB quanto da opinião pública. Abrir mão de símbolos de poder como a localização do QG e as primeiras letras do nome da nova companhia era a coisa mais sensata a fazer. Uma guerra de vaidades só atrapalharia a negociação.

Brito desligou o telefone. Antes que assinasse a carta, os dois representantes do banco Lazard, principal assessor financeiro da InBev, pediram para ter uma conversa de cinco minutos a sós com o executivo brasileiro. Steven Golub, um banqueiro experiente, na época com 62 anos, alertou Brito para o período turbulento que estava por vir. "A jornada que vamos começar com essa carta será muito longa. Haverá dias em que a gente vai achar que está por cima e dias em que vamos nos sentir lá embaixo. O outro lado vai fazer coisas em que não pensamos e em algum momento seremos obrigados a rever nossos planos. Então se prepare", avisou Golub. Por mais que Brito estivesse seguro da empreitada, ele jamais havia estado à frente de uma negociação desse tamanho. Ao ouvir a recomendação do banqueiro, ficou em silêncio. O outro representante do Lazard, o nova-iorquino Antonio Weiss, levantou mais um ponto. Ele disse a Brito que já havia participado de diversos casos de fusões e aquisições e que, quando essas operações dão errado, em geral o CEO é o primeiro a ir para a rua. Brito discordou de Weiss. "Se eu fizer as coisas certas com meu time e mesmo assim o outro lado resolver não vender, não acho que o conselho vá botar a culpa em mim. Claro que se eu fizer besteira a história é outra... Aqui as pessoas tomam mais risco e sonham grande porque sabem que não vão ser crucificadas se alguma coisa der errado, desde que sigam o que foi planejado em conjunto", disse ele ao banqueiro. Weiss não falou mais nada.

Steven Golub estava certo quando alertou Brito sobre as dificuldades que se seguiriam. A partir do momento em que os CEOs da AB e da InBev encerraram aquele telefonema, o que se viu foi uma dura batalha pelo controle da cervejaria americana. A disputa não se dava apenas entre acionistas e executivos dos dois lados. O negócio entre as cervejarias se tornou um assunto debatido nacionalmente. Sites contra o negócio pipocaram na internet. Não demorou para que a possível aquisição se tornasse também uma questão política. O então candidato à presidência Barack Obama chegou a dizer que a compra da AB por uma companhia estrangeira seria uma "vergonha".

Alguém precisava explicar os planos dos brasileiros aos americanos – e não seriam Jorge Paulo, Marcel ou Beto que fariam isso. Eles sempre se esquivaram desse tipo de situação. Sobrou para Brito, um sujeito pouco carismático, nada habituado aos holofotes e não exatamente conhecido por sua diplomacia. Ele teve que superar seu estilo discreto e um tanto ríspido e se preparar para a artilharia. A argumentação precisava ser convincente e, de alguma maneira, gerar uma espécie de "simpatia" pelo plano. Sua prova de fogo aconteceu no dia 16 de junho, em Washington, durante uma reunião com Claire McCaskill, senadora democrata pelo Missouri, e outros membros do Senado. Brito conta como tudo aconteceu:

"Ela (McCaskill) tinha convocado os jornalistas e eu não sabia. Eu tinha me preparado para falar com os senadores, e de repente ela abriu a porta e saiu. Aí veio uma pessoa da nossa equipe que estava lá fora e disse

que a imprensa toda me esperava. Só havia aquela porta para sair, e eu tinha que passar por ali. Foi aquele negócio tipo filme: você abre a porta e todo mundo avança com microfone, perguntando se a gente ia comprar ou não, se a gente ia demitir ou não, o que seria feito. Aí contamos a nossa história. O objetivo era criar uma única empresa que fosse melhor do que as duas separadas, queríamos levar a Budweiser para o mundo inteiro, dar mais oportunidades para as pessoas boas. A gente disse que tinha alguns compromissos – não fechar fábrica, manter o nome da empresa, manter a sede da América do Norte em St. Louis. Como alguém pode ser contra essa história? O cara vai dizer o quê? Que as empresas devem continuar separadas para serem piores do que seriam juntas?"

Enquanto a InBev se esforçava para ganhar a aprovação dos americanos, a Anheuser-Busch preparava sua estratégia de defesa. Os executivos da AB não estavam nem um pouco dispostos a entregar a companhia aos brasileiros. Eles sabiam o que havia acontecido com a belga Interbrew, que também era uma companhia secular sob controle familiar. Embora a Interbrew tivessse comprado a Ambev, foram a cultura e o estilo de gestão dos brasileiros que prevaleceram.

O Quarto precisava convencer os investidores de que, apesar de o valor das ações da AB andar de lado nos últimos tempos, vender a empresa não era a melhor opção para recuperar o crescimento. Com a ajuda de executivos, assessores e parte do conselho, August IV tratou de colocar em pé um plano de redução de custos. Paralelamente, tentou articular uma aliança com a mexicana Modelo – a ideia era mostrar que a AB poderia se expandir sem entregar seu controle a uma concorrente. A estratégia do CEO da AB azedou ainda mais a já turbulenta relação com seu pai, August III. Enquanto o Quarto queria resistir à oferta de qualquer maneira, o Terceiro achava que era melhor vender para a InBev por um preço justo do que fazer bobagem. "A maior preocupação dele [August III] era que as ações despencassem se a oferta fosse rejeitada", contou uma pessoa que acompanhou as negociações. O primeiro sinal evidente de que a negociação entre as cervejarias estava deixando alguns investidores da AB preocupados aconteceu quando Warren Buffett, o segundo maior acionista da empresa, com quase 5% de participação, começou a vender seus papéis no mercado por algo em torno de 60 dólares por ação – cinco dólares menos do que a InBev havia oferecido para os americanos. "Houve pessoas no conselho que, na minha opinião, tentaram fazer coisas bastante antieconômicas para bloquear o que eles chamavam de 'os invasores'", diz Buffett sobre o episódio.

~

Warren Buffett é um dos homens mais ricos do mundo – segundo a revista *Forbes*, em março de 2013 ele ocupava a quarta posição entre os maiores bilionários do planeta, com uma fortuna superior a 53 bilhões de dólares. Buffett dá expediente no 14º andar de um edifício cinza e sem graça em Omaha, cidade de 427 mil habitantes localizada no estado de Nebraska. Há 50 anos ele faz quase diariamente o mesmo trajeto de sua casa até o trabalho – apesar do seu fabuloso enriquecimento, Buffett não mudou nenhum dos dois endereços. Na sede de sua companhia, a Berkshire Hathaway, trabalham apenas 24 pessoas, incluindo o próprio fundador. Quem a visita não se depara com seguranças ou mesmo com uma recepcionista. Há apenas uma pequena placa com o nome da companhia sobre a porta do escritório. Uma campainha ao lado deve ser acionada para que alguém venha abrir a porta. Decorada à moda antiga, com móveis escuros, persianas de madeira e estantes repletas de livros, a sala do "Oráculo de Omaha" mede modestos 25 metros quadrados. Na manhã ensolarada de 19 de maio de 2012, um sábado, Warren Buffett está pronto para falar sobre um amigo de longa data, o brasileiro Jorge Paulo Lemann, que conheceu em 1998, quando ambos começaram a dividir opiniões e experiências no conselho de administração da Gillette. Buffett veste calça cáqui e camisa azul de manga comprida com as iniciais de sua companhia – BH – bordadas no peito. Dá um meio sorriso, oferece uma Coca-Cola, refestela-se numa poltrona de couro e conta como se lembra dos primeiros encontros com Jorge Paulo:

"Eu não sabia nada sobre ele. Zero. Nunca tinha ouvido falar. Nos encontrávamos a cada dois ou três meses, e demorou algum tempo até que realmente nos conhecêssemos. Mas você aprende muito sobre as pessoas num conselho. O que eu notei desde o começo é que ele dizia coisas que faziam sentido. Não fingia saber coisas que não sabia, não falava só para escutar a própria voz. Tinha uma tremenda visão de negócios e era articulado – algo que não pode ser dito de todos os conselheiros."

Em muitos aspectos, Warren Buffett e Jorge Paulo Lemann têm um estilo de vida e de trabalho semelhante – e foi em cima dessas bases que construíram uma sólida amizade. Detestam ostentação, vestem-se de forma simples e são diretos nas conversas. Ambos construíram sociedades longevas, que atravessaram décadas – Buffett com Charlie Munger; Jorge Paulo com Marcel e Beto. Os dois têm a ambição de erguer negócios que se perpetuem. Buffett gosta de encarar a Berkshire como a sua grande "pintura", uma obra de arte que jamais estará perfeita e deve ficar mais bonita a cada ano. Jorge Paulo tem o sonho de construir um modelo de gestão que se torne uma referência para as empresas do século XXI. Para eles, acumular dinheiro é mais uma consequência que um objetivo. "Não se trata de pensar 'se eu ganhar um milhão de dólares ou um bilhão de dólares o jogo acabou'. Até porque, a partir de certo ponto, o dinheiro não tem mais utilidade", diz o investidor. Apesar da proximidade entre os dois, Buffett explica que a oferta feita pelos brasileiros à AB o pegou de surpresa:

"Eu imaginava que ele [Jorge Paulo] um dia fizesse aquilo, mas não sabia que seria naquele momento. Era um passo enorme numa época totalmente hostil. Honestamente, houve um momento em que eu achei que o negócio não iria para a frente. Foi a única transação daquele tamanho naquele período... Minha decisão era avaliar se naquele cenário o preço das ações iria subir ou não e se o negócio seria realmente fechado apesar da crise. Aí eu vendi uma parte das ações e isso chateou algumas pessoas. Eu não conhecia a dinâmica do conselho da AB. Encontrei o Quarto uma única vez num jogo de beisebol, e tinha falado pessoalmente com o Terceiro uns 15 anos antes. Nunca conversei com eles pelo telefone, nunca tive uma relação. Às vezes acontece assim em algumas das empresas em que colocamos dinheiro. Tínhamos um investimento grande na AB, mas não tão grande como na Coca-Cola, por exemplo. Eu gostava do negócio, nós estávamos ali há muitos anos... Seria difícil perder dinheiro ali, assim como seria difícil ter uma grande possibilidade de ganho. Era uma opção sólida, mas não muito excitante."

~

Pressionados, os representantes da Anheuser-Busch decidiram contra-atacar. Se a cervejaria americana ia acabar em outras mãos, que fosse pelo melhor preço possível. No dia 8 de julho, August IV telefonou para Jorge Paulo. Ao lado do herdeiro da AB estavam dois membros do conselho de administração, Ed Whitacre e Sandy Warner. Ambos eram velhos conhecidos da AB e tinham relações de amizade com a família. Whitacre fez carreira no setor de telecomunicações e chegou à presidência da AT&T; Warner era um banqueiro aposentado que ganhou fama depois de vender o JP Morgan, banco que presidia, para o Chase Manhattan, em 2000. A mensagem que os três enviaram a Jorge Paulo foi cristalina: para comprar a AB seria preciso agir rápido e desembolsar mais dinheiro que o previsto. Logo que desligou o telefone o empresário brasileiro acionou os principais envolvidos na negociação. Um dos primeiros a ser informado do telefonema de August IV foi o carioca Roberto Thompson, conhecido pelas pessoas próximas a Jorge Paulo Lemann, Marcel Telles e Beto Sicupira como "o banqueiro dos ex-banqueiros".

Thompson foi apresentado ao trio logo depois de voltar de um MBA em Wharton, em 1986, e foi trabalhar no Garantia. Em 1993 seguiu Beto Sicupira quando o empresário deixou o comando da Lojas Americanas para montar a GP Investimentos, a primeira empresa de private equity do Brasil. Foi na GP que Thompson aprendeu na prática como era o dia a dia de grandes companhias. Aos poucos foi ganhando a confiança dos três até se tornar uma espécie de *consigliere* dos sócios. Cabe a ele estruturar as grandes aquisições feitas por empresas controladas pelo trio, como a compra da paulista Antarctica e a venda da Ambev para a belga Interbrew. Quem já esteve ao seu lado em uma reunião diz que Thompson é um sujeito educado, frio e pragmático, que raramente sorri ou eleva o tom de voz – um trunfo notável nas guerras de nervos em que essas grandes negociações normalmente se transformam.

"Eles [os representantes da AB] disseram que tínhamos 24 horas para fazer nossa melhor oferta", recorda Thompson referindo-se ao telefonema do Quarto para Lemann. "Convocamos rapidamente uma reunião de conselho por telefone, porque cada membro estava em um lugar do mundo. Tínhamos que refazer as contas. Tudo tinha que ser muito bem pensado. Os valores eram muito grandes, e não se tratava de troca de ações, mas de pagamento em dinheiro. No final da reunião decidimos que dava para aumentar a oferta em cinco dólares por ação." No dia 13 de julho, depois de diversas reuniões que contaram com o envolvimento direto e indireto de quase 500 pessoas entre acionistas, advogados e banqueiros, a Anheuser-Busch finalmente aceitou a proposta de 52 bilhões de dólares feita pela InBev. Depois de semanas de uma aguerrida queda de braço, a AB havia capitulado (ainda faltava a aprovação do negócio pelas assembleias de acionistas das duas companhias e por órgãos reguladores).

Convencer os americanos a entregar o controle da companhia foi duríssimo. Mas para os brasileiros, que agora se tornavam os líderes mundiais do mercado de cerveja, o pior ainda estava por vir. E eles não tinham a menor ideia do que iriam enfrentar.

Havia meses que a economia mundial dava sinais de desaceleração, porém o que aconteceu no dia 14 de setembro de 2008, um domingo, ia além do que os pessimistas poderiam prever. Nesse dia, o Lehman Brothers, quarto maior banco dos Estados Unidos, anunciou que pediria concordata, depois de diversas tentativas de resgate. Na mesma data, o Merrill Lynch acertou sua venda para o Bank of America por 50 bilhões de dólares, um terço de seu valor de mercado. O fim do Lehman Brothers, uma instituição com 150 anos de história, foi o estopim de uma crise financeira gravíssima, comparada à de 1929. O medo se espalhou por empresas e bancos e varreu o mundo. Em um único dia as empresas listadas na Bolsa de Valores de Nova York perderam mais de 1 trilhão de dólares em valor de mercado. Para os brasileiros da InBev, que precisariam pagar 52 bilhões de dólares aos acionistas da Anheuser-Busch assim que o negócio fosse totalmente aprovado, a situação se tornou preocupante, para dizer o mínimo. Com o dinheiro secando em praticamente todas as fontes do planeta, como a empresa poderia honrar a dívida? Para Brito foi uma fase de enorme tensão:

"Durante dois meses, entre a quebra do Lehman e a conclusão do negócio, a gente ficou bem ansioso, porque aquilo não estava na nossa mão, ninguém sabia para onde o mundo ia... A gente anunciou a transação em um mundo e assinou a compra em outro... Alguns bancos que estavam no nosso consórcio quase sumiram... Era como se a gente tivesse entrado em um túnel e de alguma maneira tivesse que sair do outro lado

– só que lá do outro lado de repente tinha começado a chover. O que você faz? Começa a pensar num plano B, num plano C, em outras possíveis formas de financiamento... Uma coisa importante é que ninguém perdeu tempo acusando um ao outro, dizendo 'eu falei que isso ia acontecer'... A gente tinha que lidar com uma situação inesperada e ninguém ia perder tempo com besteiras desse tipo..."

O trio de empresários brasileiros acompanhava cada passo atentamente. O sangue-frio para lidar com momentos dramáticos como esse foi desenvolvido ao máximo não só durante sua trajetória como banqueiros e empresários, mas também no esporte. Jorge Paulo Lemann é um exímio tenista e chegou a competir profissionalmente no passado. Além disso, os três costumam praticar pesca submarina, uma modalidade radical que combina resistência física e precisão absoluta no arremesso do arpão. Depois de décadas de prática, eles aprenderam a esperar o melhor momento para avançar sobre suas presas e a não desperdiçar qualquer oportunidade. Preparo, paciência, execução perfeita – eis aí uma receita a que eles recorrem não apenas para pescarias no fundo do mar.

Em larga medida, a compra da AB só não desandou graças ao intrincado acordo concebido pelo CFO da InBev, o carioca Felipe Dutra, com o consórcio de bancos que financiaria a operação. A exemplo de Brito, Dutra trabalhava com o trio de controladores da InBev havia vários anos. O economista ingressou na Brahma em 1990 e desde 2005 ocupava o posto de principal executivo financeiro da cervejaria belgo-brasileira. Detalhista e cuidadoso, Dutra estabeleceu um contrato de condições leoninas com os 10 bancos envolvidos no negócio – Santander, Bank of Tokyo-Mitsubishi, Barclays Capital, BNP Paribas, Deutsche Bank, Fortis, ING Bank, JP Morgan, Mizuho Corporate Bank e Royal Bank of Scotland. Sua principal vitória foi conseguir excluir uma cláusula conhecida como *Material Adverse Change* (MAC), que garante às instituições a possibilidade de renegociação das condições de financiamento em caso de uma piora repentina do mercado. Como os bancos não tinham essa cláusula nos contratos, eles foram obrigados a manter todas as condições acertadas antes do estouro da crise e estavam legalmente impedidos de abandonar o barco. Além do acordo bem amarrado, os brasileiros tiveram uma generosa dose de sorte. Nenhum dos bancos envolvidos no consórcio quebrou, como aconteceu com o Lehman Brothers. No caso do belga Fortis, por exemplo, que fazia parte do grupo de financiadores e foi um dos mais afetados pela turbulência mundial, o governo da Bélgica interveio antes que fosse tarde demais. "Se em vez do Fortis tivéssemos colocado o Lehman, tudo estaria ferrado", resume Thompson.

Paralelamente, foi preciso passar o chapéu também entre os principais acionistas da InBev. Jorge Paulo, Marcel e Beto colocaram, juntos, 1,5 bilhão de euros de seus próprios bolsos para garantir que a transação fosse honrada. Como a maior parte do patrimônio dos três era formada por ações das companhias em que investiam, eles tiveram que recorrer a empréstimos e reduzir despesas pessoais. Sobrou até para o escritório que mantinham em São Paulo, no 15º andar de um prédio na Zona Sul da cidade. Para baixar o aluguel, o espaço foi reduzido pela metade – e permanece assim.

No dia 18 de novembro de 2008, quase seis meses depois que o *Financial Times* revelou o segredo da InBev, a operação foi finalmente concluída. Os empresários brasileiros Jorge Paulo Lemann, Marcel Telles e Beto Sicupira se tornavam os principais acionistas de um novo gigante, com faturamento anual de 37 bilhões de dólares, mais de 200 marcas em seu portfólio e presença mundial. Em menos de duas décadas, eles transformaram uma cervejaria regional com nome forte e resultados decepcionantes, a Brahma, na maior companhia global do setor. Tudo isso repetindo à exaustão os pilares da cultura inicialmente professada por Jorge Paulo e depois espalhada por todos os negócios em que investiram: meritocracia, controle de custos inclemente, trabalho duro e uma dose de pressão que nem todos podem aguentar. Nada de mordomias, nada de símbolos de status. Mas para os melhores – gente como Carlos Brito, Roberto Thompson, Felipe Dutra – as oportunidades incluíram até mesmo sociedade nos negócios. Estima-se que desde que o Banco Garantia foi fundado, em 1971, de 200 a 300 pessoas que trabalharam nos diversos negócios do trio tenham embolsado mais de 10 milhões de dólares cada uma. Segundo dados da revista *Forbes*, em março de 2013 Jorge Paulo era considerado o 33º homem mais rico do mundo, com uma fortuna de quase 18 bilhões de dólares (Marcel Telles e Beto Sicupira ocupavam a 119ª e a 150ª posição, com 9,1 e 7,9 bilhões de dólares, respectivamente). Os três estão entre as 10 pessoas mais ricas do Brasil. Para quem conhece Jorge Paulo Lemann de perto, não há dúvida de que o empresário só se tornou um bilionário de primeira grandeza porque enriqueceu dezenas de pessoas pelo caminho. A compra da Anheuser-Busch, como se veria depois, transformaria mais um grupo de executivos da cervejaria controlada por Jorge Paulo, Marcel e Beto em milionários. E seria apenas a primeira de uma série de investidas dos brasileiros sobre grandes companhias americanas.

Um surfista em Harvard

Nascido no Rio de Janeiro em 26 de agosto de 1939, Jorge Paulo Lemann teve desde criança uma vida financeiramente confortável. No início do século XX, seu pai, Paulo, abandonou a cidade suíça de Langnau para se estabelecer no Brasil. Na mesma época, os tios de Jorge, irmãos de seu pai, também imigraram – um fixou residência na Argentina e outro nos Estados Unidos. Os três deixaram para trás um negócio de fabricação de queijos e laticínios que durante décadas foi o ganha-pão da família (e que existe até hoje). Paulo veio para o Brasil contratado pela fabricante de sapatos suíça Bally, dona do Cortume Carioca, que operava na Zona Norte do Rio de Janeiro. Durante alguns anos, o suíço viveu em meio aos couros e calçados, até que decidiu retomar a tradição da família e abriu uma fábrica de laticínios em Resende. Batizou a empresa de Leco (abreviatura de Lemann & Company). Anos mais tarde a companhia seria comprada por Hélio Moreira Salles, irmão de Walter Moreira Salles, fundador do Unibanco.

Depois de alguns anos no Brasil, Paulo conheceu sua esposa, Anna Yvette, brasileira filha de um casal de suíços (seu pai trabalhava numa trading de cacau que expatriou diversos executivos para a região de Ilhéus e Itabuna). "Os suíços vinham para o Brasil trabalhar, encantavam-se com o lugar e acabavam ficando por aqui", diz Alex Haegler, primo de Jorge Paulo (a mãe de Haegler era irmã de Anna Yvette). A

família se estabeleceu em uma casa confortável, mas sem extravagân-
cias, no bairro do Leblon. A origem dos pais de Jorge, ambos criados
de acordo com a ética protestante, baseada na frugalidade, na disciplina e no trabalho, seria um dos pilares da formação intelectual do
empresário.

Os pais sempre fizeram questão que o garoto tivesse uma boa educação. Jorge Paulo entrou na Escola Americana do Rio de Janeiro,
uma das melhores da cidade, na pré-escola e só saiu dali aos 17 anos,
depois de formado no que hoje seria o ensino médio. Aprender inglês na infância lhe garantiu uma tremenda fluência no idioma, algo
raro na época e que se mostraria extremamente útil quando ele ingressou no mercado financeiro. Aos 7 anos começou a praticar tênis,
esporte que o acompanharia por toda a vida, no Country Club do
Rio, um clube encravado em Ipanema e reduto da alta sociedade.
Ultracompetitivo dentro das quadras, ganhou diversos campeonatos infantis e se tornou campeão brasileiro juvenil aos 17 anos. Para
isso, adotava uma rotina de atleta: nada de baladas, nada de álcool,
nada de comidas pesadas. (Durante vários anos ele aboliu completamente carne vermelha do cardápio, até hoje não toma bebidas alcoólicas e costuma carregar nos bolsos passas ou frutas desidratadas
para beliscar entre as refeições.) Seu único ponto fraco eram as ga-
rotas. "Mas ele só namorava quem não implicasse com seus hábitos
de dormir e acordar cedo", diz Haegler. Seu dia começava antes do
amanhecer. Jorge levantava perto das cinco horas da manhã, corria
alguns quilômetros pela orla do Leblon e depois pulava o muro do
Country para bater uma bolinha antes que o clube abrisse as portas
para os sócios. Nas quadras aprendeu uma das lições que segue até
hoje. Um de seus professores de tênis lhe disse que ninguém ganha
uma partida "jogando para a torcida". Em outras palavras, em vez de
exibir suas habilidades para a plateia, Jorge Paulo se daria melhor
se apenas se concentrasse no jogo. Para um garoto já normalmente

discreto e disciplinado, a recomendação não poderia ter sido mais apropriada.

Quando não era visto jogando tênis, Jorge Paulo podia ser encontrado pegando onda nas praias da Zona Sul – era, segundo sua pouco modesta avaliação, "um dos melhores surfistas do Rio de Janeiro". Em cima de uma prancha tomou um dos maiores sustos de sua vida. Um dia, depois de uma tempestade torrencial, decidiu encarar o mar agitado na praia de Copacabana ao lado de um grupo de amigos. Confiante em sua habilidade, não se intimidou frente a ondas gigantes, três vezes maiores do que as que ele estava habituado. Jorge Paulo falou sobre esse episódio em 2011, durante um evento da Fundação Estudar (organização criada por ele há quase 20 anos para financiar estudos de brasileiros no país e no exterior):

"Eram ondas colossais... Nadar por baixo delas era quase impossível... Eu sentia meu sangue correndo para os pés... Peguei a onda e consegui sair dela antes que 'encaixotasse'... Meus amigos falaram para irmos de novo, mas para mim estava bom, minha adrenalina estava no máximo... Gostei daquilo, mas não queria sentir de novo... Na vida você tem que tomar risco e a única maneira é praticando... Eu praticava nas ondas, no tênis e, mais tarde, nos negócios... Ao longo da minha vida várias vezes eu me lembrei mais da onda de Copacabana que daquilo que eu aprendi na faculdade."

Aos 14 anos, Jorge Paulo teve de lidar com a perda inesperada do pai, que morreu atropelado por um bonde em Botafogo. De uma hora para outra, o caçula da família se tornou o homem da casa – sua irmã Lya, 10 anos mais velha que ele (e já falecida), migrou para os Estados Unidos depois de se casar com um executivo da indústria farmacêutica. Nessa época, o adolescente se aproximou ainda mais do primo Alex Haegler. Seis anos mais velho que Jorge Paulo, Haegler foi estudar em Harvard, onde se tornou capitão da equipe de tênis da universidade. Jorge Paulo, eleito pelos colegas de formatura da Escola Americana como o aluno "most likely to succeed" (em português, algo como "o que tem mais chances de alcançar o sucesso"), resolveu seguir o mesmo caminho do primo e se inscreveu no curso de economia de Harvard – uma decisão que mudaria para sempre o modo como ele enxergaria o mundo.

~

Poucas coisas são capazes de durar vários séculos. Ainda mais raras são aquelas que atravessam centenas de anos e continuam a prosperar. A Universidade Harvard é uma delas. Localizada em Cambridge, cidade com pouco mais de 100 mil habitantes no estado americano de Massachusetts, Harvard soma mais de 350 anos de história. Oito presidentes dos Estados Unidos – John Adams, John Quincy Adams, Rutherford B. Hayes, Theodore Roosevelt, Franklin D. Roosevelt, John F. Kennedy, George W. Bush e Barack Obama – estudaram lá, assim como mais de 40 vencedores do Prêmio Nobel. Ao lado de outras sete instituições de ensino, como Yale e Princeton, Harvard compõe a chamada Ivy League, uma espécie de pelotão de elite do sistema universitário americano.

Pelo seu campus de quase cinco quilômetros quadrados circulam atualmente 21 mil alunos de várias partes do mundo, que nos poucos momentos de folga podem ser encontrados nos quase 100 bares, cafés e restaurantes que funcionam nos arredores da universidade. Vizinho a Harvard está o também prestigiado MIT (Massachusetts Institute of Technology) e basta atravessar o rio Charles para chegar a Boston, cidade que foi o berço da independência dos Estados Unidos. Para ter acesso a esse olimpo da educação é preciso vencer duas etapas. A primeira delas é ser aceito pela universidade – aproximadamente 93% dos interessados não conseguem passar por esse filtro. A outra, ter uma bela conta bancária (ou conseguir uma bolsa), já que o custo anual de um estudante de graduação girava, em 2012, em torno de 80 mil dólares, incluindo aulas, alimentação e moradia.

Jorge Paulo Lemann não deu muita bola para toda essa exclusividade e tradição quando desembarcou em Cambridge, em setembro de 1957, em busca de um diploma. Naquela época a presença de brasileiros na universidade era coisa rara – em média, um candidato por ano (hoje há quase uma centena de interessados a cada 12 meses). Sua estreia em Harvard foi um horror. Em sua primeira viagem aos Estados Unidos, o "garoto de praia" morria de frio e sentia falta das ondas. Suas notas invariavelmente ficavam abaixo da média. Para piorar, ele decidiu bancar o adolescente rebelde. No final do primeiro ano, prestes a sair de férias, fez uma brincadeira que quase lhe custou a vaga na universidade: em plena praça central de Harvard soltou um punhado de fogos de artifício. A molecagem fez sucesso entre os alunos, mas Jorge Paulo foi pego em flagrante pela administração do campus. Quando chegou ao Rio de Janeiro, dias depois do incidente, havia uma carta de Harvard recomendando que se ausentasse da instituição por um ano – período em que, esperava-se, ele iria amadurecer. A correspondência quase fez efeito. Jorge Paulo, que via em Harvard uma aporrinhação sem fim, ficou inicialmente tentado a aproveitar a chance e abandonar a escola. Logo, porém, mudou de ideia. Voltaria para Cambridge (a carta apenas "recomendava" sua ausência, não o obrigava a se afastar) e terminaria o curso em mais dois anos, em vez dos três tradicionais. Se aquilo era uma chatice, que ao menos acabasse logo.

Jorge Paulo precisou criar um sistema engenhoso para alcançar sua meta. Antes de escolher as disciplinas que iria cursar, ele conversava com ex-alunos e professores. Perguntava como eram as aulas, que tipo de trabalhos eram pedidos, qual a dedicação que cada matéria exigia. Numa dessas conversas, descobriu que todas as provas antigas ficavam arquivadas na biblioteca. Não demorou muito para que ele notasse que, de um ano para outro, os professores alteravam pouca coisa nas avaliações. Aí ficou fácil tirar boas notas – era só se preparar para os exames estudando as provas dos anos anteriores. Em pouco tempo, Jorge Paulo passou de aluno problema a queridinho do reitor. Aos 20 anos, dentro do prazo que ele mesmo havia estabelecido, completou o curso.

Recentemente, Jorge Paulo Lemann comentou durante um evento como Harvard mudou sua maneira de encarar o mundo:

"Eu era um surfista, um tenista que nunca tinha saído do Rio de Janeiro e de repente fui para aquele negócio lá, cheio de ideias grandes. Tive que fazer um curso de filosofia no primeiro ano. Comecei a ler Platão, Sócrates, coisas que eu nunca tinha pensado em passar os olhos. Então a minha visão do mundo se transformou... E os meus sonhos, que eram ganhar um campeonato de tênis ou pegar ondas maiores, passaram a ser muito maiores. As pessoas que me conhecem, que conhecem os meus negócios, sabem que eu sempre digo que 'ter um sonho grande dá o mesmo trabalho que ter um sonho pequeno'... A outra coisa que eu aprendi em Harvard, que faz parte das minhas características, foi a importância da escolha de gente. Lá eu estava no meio das melhores pessoas do mundo. Tinha excelência por tudo quanto é lado... E isso teve uma grande influência em como eu passei a escolher gente, que foi uma das principais características da minha carreira...

Harvard também me deu um foco e um método de obter resultado. Para terminar no prazo que eu quis, fui obrigado a desenvolver um sistema de focar muito... Eu sempre tento reduzir tudo ao que é essencial e isso nos ajudou muito também na formação dos nossos negócios. A maioria das nossas companhias – e das pessoas – tem cinco metas... O simples é sempre melhor do que o complicado."

~

C omo qualquer recém-formado, Jorge Paulo Lemann saiu à procura de trabalho. Ele queria uma oportunidade no mercado financeiro brasileiro, onde achava que poderia ganhar muito dinheiro. Conseguiu uma vaga na Deltec, empresa criada no Rio de Janeiro, em 1946, para vender ações no mercado latino-americano. O dono da empresa era o americano Clarence Dauphinot Jr., também sócio do Country Club do Rio, que decidiu contratar o jovem com inglês fluente como trainee. O primeiro chefe de Jorge Paulo Lemann foi Roberto Teixeira da Costa, um profissional já conhecido na área e que, em 1976, seria escolhido o primeiro presidente da Comissão de Valores Mobiliários, a CVM.

Chamar o que existia por aqui naquela época de "mercado de capitais" seria quase um exagero. Os clientes eram raros e as empresas dispostas a abrir seus números podiam ser contadas nos dedos. Até 1966 não havia sequer bancos de investimentos em operação no Brasil. A Bolsa de Valores de Buenos Aires era mais relevante que a do Rio (a de São Paulo tinha ainda menos importância). Era, enfim, um mercado a ser formado. Para vender papéis de empresas como a Listas Telefônicas ou a subsidiária brasileira da montadora americana Willys Overland, a Deltec tinha uma equipe que chegou a somar 300 vendedores. Batendo de porta em porta, esses agentes se embrenhavam pelo país em busca de novos clientes. "No final dos anos 50 e início da década seguinte, não existia pessoal interno especializado para se relacionar com investidores e transmitir informações... Relatórios anuais eram extremamente concisos em termos de informar algo realmente relevante para os acionistas e limitavam-se às informações mínimas legais de balanço e demonstrativos financeiros, não auditados e pouco esclarecedores dos critérios utilizados", afirma Teixeira da Costa em seu livro *Mercado de capitais – uma trajetória de 50 anos.*

Quando viu de perto o estágio ainda embrionário do mercado de capitais brasileiro, Jorge Paulo desanimou. Seria difícil prosperar naquelas condições. Ele decidiu então ganhar experiência fora do país. Se Harvard lhe abrira os olhos para o mundo, talvez um emprego no exterior também ajudasse. Seu plano era viajar, aprender com os melhores e depois retornar ao Brasil. Graças ao pai, Jorge Paulo tinha dupla cidadania e decidiu tentar a sorte na Suíça. Conseguiu um estágio no Banco Credit Suisse, em Genebra. O que era para ser uma oportunidade única se transformou num pequeno pesadelo. Pela primeira vez o jovem trabalhava em uma instituição de grande porte, com hierarquia rígida e processos rigorosos – e ele não gostou nada daquilo. Achou tudo lento demais, engessado demais, previsível demais. Deixou o banco em apenas sete meses.

Em compensação, sua dedicação ao tênis era maior do que nunca. Disputou alguns torneios na Suíça até que foi convidado a defender a equipe local na Copa Davis. Sua estreia, em maio de 1962, não foi nada animadora. Perdeu por três sets a zero. "Nunca gostei de grama", justificou a uma revista especializada no esporte. Durante um ano e meio viveu praticamente como tenista profissional e chegou a disputar dois dos quatro torneios do chamado Grand Slam – Wimbledon, na Inglaterra, e Roland Garros, na França. Só havia um problema: Jorge Paulo era bom, mas não o suficiente. "Pelo tanto que jogava, percebi que dificilmente estaria entre os 10 melhores do mundo. Resolvi parar, já que eu não seria um astro", afirmou. Ganhar a vida numa atividade em que ele não se destacasse como um dos melhores do mundo nunca esteve nos seus planos.

Em 1963, de volta ao Rio de Janeiro, Jorge Paulo Lemann foi contratado pela Invesco, uma pequena empresa que atuava sobretudo no setor de crédito, concorrendo com os bancos comerciais. Ele estruturou ali uma área de mercado de capitais que, em pouco tempo, começou a incomodar as tradicionais operadoras da bolsa de valores. Àquela época, os títulos de corretoras não podiam ser comprados – eram vitalícios e funcionavam seguindo um mecanismo parecido com o de concessão de cartórios. Nem Jorge Paulo nem a Invesco haviam herdado coisa alguma, mas ele não estava disposto a ficar fora do jogo de compra e venda de ações por causa disso. A saída encontrada pelo jovem foi criar uma espécie de "bolsa paralela", em que os papéis eram comercializados por telefone fora do pregão oficial. Para ele, a novidade se transformou num ótimo negócio – a bolsa paralela da Invesco chegou a movimentar o equivalente a 5% do volume da Bolsa de Valores do Rio de Janeiro. Ele estava adorando, mas as grandes corretoras, como é de se imaginar, não viam tanta graça nesse atrevimento. "Os corretores tinham ódio de mim porque achavam que eu era uma ameaça", disse Jorge Paulo certa vez sobre o assunto. O clima ficou tão tenso que, durante uma visita à BVRJ, Jorge Paulo foi expulso do prédio por dois seguranças a pedido de um grupo de corretores – uma situação embaraçosa, mas não o bastante para fazer com que desistisse de manter seu próprio mercado.

Graças à boa formação e à fama que ganhava no mercado, Jorge Paulo começou a escrever uma coluna sobre investimentos aos domingos no Jornal do Brasil. A carreira de jornalista foi breve. Poucos meses após sua estreia nas páginas do diário, Alberto Dines, diretor do JB, foi informado de que o colunista trabalhava numa corretora – e viu na situação um óbvio conflito de interesses. Para Dines não havia escolha exceto limar o articulista.

Ao lado de Jorge Paulo na área de mercado de capitais da Invesco atuava José Carlos Ramos da Silva, um jovem bom de papo, formado em economia pela Universidade do Brasil (atual UFRJ) e que ficou conhecido no mercado financeiro pelo apelido de Jaguatirica. Ramos da Silva vinha de um mundo muito diferente do de Jorge Paulo. Seu pai, um imigrante português, passou a maior parte da vida trabalhando em lojas de tecidos. A mãe, formada em contabilidade, jamais exerceu a profissão – obediente ao marido, dedicou-se totalmente à família. O principal destino de férias dos Ramos da Silva era Cambuquira, uma pacata estância hidromineral em Minas Gerais. Na vontade de fazer fortuna, porém, Jorge Paulo e José Carlos eram muito parecidos – e essa semelhança falava mais alto que as diferenças de classe social.

Na superfície, as coisas corriam às mil maravilhas. A empresa crescia, emprestava cada vez mais dinheiro, a bolsa paralela criada por ele avançava. O problema, como Jorge Paulo descobriu tarde demais, é que havia mais dinheiro saindo do que entrando. Em 1966, sem controles rígidos para concessão de crédito e com uma administração mambembe, a Invesco quebrou. Aos 27 anos, Jorge Paulo afundou junto. Sua parte na empresa – cerca de 2% do capital da companhia – virou pó (no final a Invesco foi absorvida pelo Banco Ipiranga, da família Lutterbach, que arrematou outras quatro financeiras para criar um banco de investimentos).

A morte súbita da Invesco ensinou a Jorge Paulo duas grandes lições. A primeira delas é que é tão importante cuidar das receitas quanto das despesas – uma máxima que nas décadas seguintes ele e seus futuros sócios transformariam em obsessão. A segunda é que é preciso ter gente boa e bem remunerada em todas as áreas de um negócio, inclusive em departamentos que não sejam tão charmosos ou lucrativos. "Goleiro também tem que ganhar bem", diz o empresário.

Em vez de lamentar a derrota, Jorge Paulo Lemann tratou de pensar no próximo empreendimento.

～

"Sociedade" sempre foi uma palavra recorrente no vocabulário de Jorge Paulo Lemann. Ao longo de sua trajetória não houve uma única vez em que ele se lançasse a um novo projeto sozinho. Após seu fracasso na Invesco não foi diferente. O jovem queria continuar no mercado financeiro, mas não tinha capital nem intenção de se bancar por conta própria. Para Jorge só havia uma solução: encontrar gente boa disposta a trabalhar em um novo negócio e sócios capitalistas que ajudassem a financiá-lo.

A primeira parte do plano era fácil. Ramos da Silva, o Jaguatirica, era o sujeito com espírito empreendedor que Jorge Paulo queria a seu lado. Já o dinheiro para bancar a empreitada veio de outra fonte, da família nordestina Ribeiro Coutinho, que havia feito fortuna inicialmente com engenhos de açúcar em Pernambuco e na Paraíba. Os negócios do clã se multiplicaram ao longo dos anos. Naquela época uma de suas maiores apostas era o Banco Aliança, sediado num imponente prédio projetado pelo arquiteto Lucio Costa, no centro do Rio de Janeiro, ao lado da igreja da Candelária. João Úrsulo, chefe da família, queria ampliar os negócios da corretora Libra, controlada pelo Aliança e então concentrada na venda de letras de câmbio. Jorge Paulo Lemann precisava de dinheiro e Úrsulo de alguém que entendesse daquele novo negócio. A combinação parecia perfeita.

Em 1967, Jorge Paulo e Ramos da Silva começaram a trabalhar na Libra. Para atrair a dupla, João Úrsulo ofereceu uma participação de 26% na corretora, divididos entre os dois em partes iguais. O objetivo era começar a atuar principalmente nas áreas de bolsa e no novíssimo open market, mercado de compra e venda de títulos públicos e privados (a atividade era tão recente que o Banco Central só viria a criar uma mesa para negociação desses títulos em 1968). A dupla logo fez a corretora deslanchar – em pouco tempo ocupava todo o 11º andar do edifício do banco. Um dos profissionais contratados por Jorge Paulo e Ramos da Silva na época foi um jovem talentoso que havia ajudado o Escritório Levy a se transformar em um dos maiores negociadores de títulos do Banco Central. O rapaz vinha de uma família de classe média baixa de Santa Rita do Passa Quatro, no interior paulista. Começara a trabalhar como office boy do Bradesco aos 14 anos, depois de brigar com o pai e fugir de casa. Nos estudos tinha se mostrado uma negação – nem sequer havia completado o antigo primeiro grau, parando na sexta série ginasial. No trabalho, porém, era criativo e obstinado. Seu nome: Luiz Cezar Fernandes. "O Jorge estava perdidinho lá, fazendo um pouco de bolsa, um pouco de mercado... Estava atolado", diz Fernandes. "Ele me chamou e eu fui."

Paradoxalmente, quanto mais a corretora crescia, mais Jorge Paulo se sentia insatisfeito. Sua participação acionária, a despeito dos excelentes resultados da Libra, permanecia a mesma. Para piorar, segundo as regras estabelecidas pelos controladores da corretora, ele não podia oferecer participação no negócio a mais ninguém – e Jorge Paulo acreditava que essa "cenoura" era a melhor forma de conquistar jovens talentosos.

Ele então chegou a um impasse. Desde os anos de estudo em Harvard, Jorge Paulo Lemann pensava em tocar uma empresa com uma cultura baseada em meritocracia e no sistema de *partnership*. A ideia de dividir para crescer encantava gente como José Carlos Ramos da Silva e Luiz Cezar Fernandes, mas os Ribeiro Coutinho não queriam saber de entrar nesse jogo. Depois de três anos sem perspectiva de aumentar sua fatia na corretora, Jorge Paulo decidiu que era hora do tudo ou nada. Avisou aos chefes que não estava contente com a situação e que queria comprar a participação deles – crente que os Ribeiro Coutinho, donos de diversos outros negócios, concordariam com a proposta. Para sua surpresa, a família fez uma incômoda contraoferta: obrigou Jorge Paulo Lemann e Ramos da Silva a vender sua participação e deixar a corretora.

Aos 31 anos, Lemann estava novamente sem emprego. Mas dessa vez tinha 200 mil dólares no bolso, uma bolada para a época. Dono do próprio nariz, poderia colocar em prática o modelo de gestão com que sonhava – no qual a riqueza gerada deveria ser dividida com os melhores funcionários. Não que o financista fosse exatamente um sujeito "bonzinho". No melhor estilo Jorge Paulo Lemann, essa filosofia de multiplicar para depois dividir é puro pragmatismo. Ele repetiria com frequência no futuro, sempre em voz alta e "esticando" as vogais, como é seu hábito: "Gente booooa, trabalhando juuuunto, faz a firma graaaaande."

Em busca dos "PSDs" –
Poor, Smart, Deep Desire to Get Rich

Manter uma boa rede de relacionamentos, muito antes que a palavra networking entrasse na moda, sempre foi uma preocupação de Jorge Paulo Lemann. Um tanto introspectivo e caladão – é comum escutar relatos de reuniões em que ele não apenas fica em silêncio, como também, tomado por um tédio abissal, dá breves cochilos –, ele desde cedo percebeu que se cercar das pessoas certas representava uma tremenda vantagem. Após sua saída forçada da Libra, era chegado mais uma vez o momento de aplicar esse raciocínio.

Jorge Paulo tinha uma boa ideia na cabeça (abrir sua própria corretora) e uma equipe afinada para começar a seu lado (José Carlos Ramos da Silva e Luiz Cezar Fernandes). Faltava algo importante: capital. O dinheiro que ele e Ramos da Silva receberiam pela venda da participação na Libra seria pago a prazo, mas para comprar um título de corretora era preciso dinheiro vivo. Como naquela época – 1971 – a bolsa de valores vivia um período de euforia, o preço dos títulos estava altíssimo.

Sem dinheiro para a corretora, Jorge Paulo e Ramos da Silva quase se contentaram em ter um negócio menor, uma distribuidora de valores. Negociavam a compra de uma pequena empresa chamada Vésper, que pertencia à construtora carioca Metropolitana, quando de repente foram interrompidos. "Um dia chegou um cliente do Jorge, praticamente um amigo, que perguntou o que a gente estava fazendo", lembra Luiz Cezar Fernandes. "Ele disse que sabia que estávamos comprando uma porcaria de uma distribuidora e que era um absurdo termos saído de uma corretora para fazer aquilo. Falou um monte."

O cliente em questão era o cearense Adolfo Gentil, ex-deputado federal e dono do Banco Operador, sediado no Rio de Janeiro. Rico, entusiasta de tênis e 20 anos mais velho que Jorge Paulo, ofereceu-se para financiar a compra de uma corretora. Para ajudá-lo, chamou o amigo Guilherme Arinos Barroso Franco, um amazonense descendente de índios tapajós e itacoatiaras que começou a carreira como contínuo do Banco do Brasil. Formado em direito, aos 26 anos Arinos já havia se tornado assessor pessoal do ex-presidente Getúlio Vargas. Fanático por futebol – o Botafogo era sua paixão –, ele chegou a ter quase 40 cadeiras cativas no Maracanã. Mais tarde, também ficaria conhecido como o pai do ex-presidente do Banco Central Gustavo Franco. Estava fechado o time de financiadores da compra da corretora.

Para encontrar um alvo de aquisição, a solução não poderia ter sido mais prosaica. Gentil colocou um anúncio no jornal: "Compra-se corretora". Em agosto daquele ano, a aquisição estava concluída. Por 800 mil dólares, o grupo bancado por Gentil comprou de especuladores uma corretora chamada Garantia. "Era o nome mais ridículo do mundo, parecia coisa de pilantra", brinca o carioca Rogério Castro Maia, que, em 1981, trocou a gerência da ONG Ação Comunitária do Brasil por uma vaga na área comercial da instituição financeira criada por Jorge Paulo. Escolados com o episódio da Libra, Jorge Paulo e Ramos da Silva negociaram com Gentil até conseguirem 51% de participação (divididos entre os dois em partes iguais). Gentil ficou com 39% e Arinos, com os 10% restantes. Logo depois de formado esse quarteto inicial, Gentil venderia uma pequena fatia de sua participação a Luiz Cezar Fernandes e a Hercias Lutterbach, que fazia parte do grupo de antigos donos da corretora e quis permanecer no negócio.

Além do nome pouco inspirador, a corretora Garantia não tinha muita coisa. Seu patrimônio era quase zero. O escritório, modestíssimo, localizava-se no Edifício Avenida Central, um prédio de 34 andares na avenida Rio Branco, 156, junto ao Largo da Carioca, no centro do Rio de Janeiro. A corretora Garantia ocupava três salas sem ar-condicionado na sobreloja do edifício – uma para os operadores, outra para a administração e a terceira para a custódia dos títulos e ações em seu cofre. "A estrutura se limitava a três telefones, e não tínhamos dinheiro nem para pagar secretária", diz Fernandes. Para os jovens sócios, a precariedade do escritório pouco importava. Eles estavam de olho no potencial da Bolsa de Valores do Rio, que atraía cada vez mais investidores – em grande medida estimulados pelo recém-criado Fundo 157, que permitia aos contribuintes do imposto de renda aplicar em ações até 12% do que deveria ser pago em tributos. Entre janeiro e março de 1971, o índice da Bolsa cresceu quase 48% e o volume de dinheiro movimentado mais que dobrou. Parecia bom demais para ser verdade – e era. A alta formidável era resultado muito mais de especulação que de crescimento real. Como toda bolha, essa também estourou. Dois meses depois da compra do título da Garantia, a bolsa começou a cair e não parou mais. Em 18 meses, o índice despencou 61%. Jorge Paulo e seus sócios viam o principal negócio da corretora minguar a cada dia. De quebra, passaram a ser conhecidos como os investidores que pagaram mais caro numa carta patente – um título que eles, sem nenhum orgulho, carregaram por quase duas décadas. Não era exatamente um começo promissor.

Com a crise da bolsa e a urgência em buscar um novo caminho – a solução foi concentrar as atividades no open market –, Jorge Paulo Lemann precisava, mais do que nunca, de uma equipe afiada. Agora que era um dos principais acionistas da empresa, podia colocar em prática os princípios de meritocracia em que sempre acreditou. Para ele, o que importava era talento e suor. Relações de amizade ou de parentesco tinham pouco valor e às vezes podiam até jogar contra. Filhos e esposas de sócios, por exemplo, eram proibidos de trabalhar na corretora. Relações amorosas no ambiente de trabalho eram proibidas. (Essa talvez tenha sido a regra menos respeitada, já que houve vários casamentos entre pessoas que trabalhavam ali – até mesmo sócios como Luiz Cezar Fernandes e Eric Hime se casaram com funcionárias da instituição. Nesses casos, um dos membros do casal era obrigado a deixar o Garantia.)

Havia um tipo específico de profissional que Jorge Paulo estava sempre farejando e que ele batizou com a sigla PSD: *Poor, Smart, Deep Desire to Get Rich* (pobre, esperto, com grande desejo de enriquecer). No início, ter uma educação em escolas de primeira linha ou experiência internacional não fazia parte das principais características que o financista buscava. A razão era simples. Naquela época o país crescia sobretudo graças à intervenção do governo, com a criação de estatais, incentivo às exportações e projetos financiados por dívida externa. Nesse ambiente rudimentar, tanto a corretora Garantia quanto outras instituições financeiras prosperaram negociando, principalmente, títulos da dívida do governo. Assim, valia mais a pena ter gente com jogo de cintura, bom faro de vendedor e até uma certa malandragem do que jovens brilhantes mas sem traquejo. "Todo mundo ali tinha um pouco da 'escola da vida', de frequentar a praia. Eram outros tempos. Os garotos agora são criados em frente ao computador", diz Clóvis Eduardo Macedo, que chegou ao Garantia em 1976, tornou-se sócio e só saiu duas décadas depois. Ele foi um dos PSDs que o Garantia tornou milionários – e reza pela mesma cartilha do antigo banco em sua administradora de recursos, a Nobel, localizada no bairro do Leblon, na Zona Sul do Rio de Janeiro.

Pense num mundo sem internet. Aliás, pense num mundo sem qualquer tipo de computador e até mesmo sem calculadora financeira. Numa época em que o telex era um grande avanço tecnológico (os aparelhos de fax só começaram a ser produzidos em larga escala no exterior a partir da década de 1970), todas as transações financeiras eram "físicas" – ou seja, a venda de uma ação, por exemplo, exigia que o vendedor de fato entregasse o papel ao comprador. Os títulos e ações eram sempre "ao portador". Em outras palavras, ninguém sabia quem realmente estava comprando ou vendendo nada, o que abria brechas para vários tipos de manipulação. Se um título fosse roubado ou perdido, por exemplo, era preciso entrar na justiça para cancelar aquele papel e conseguir a emissão de um novo que o substituísse. A CVM e o Banco Central, criado em 1964, ainda eram novatos em várias atividades. Esse cenário de regulamentação um tanto frouxa deixava margem para uma imensa zona cinzenta. O segredo para se dar bem no mercado financeiro brasileiro dos anos 70 era operar sempre no limite – e os PSDs recrutados por Jorge Paulo Lemann faziam isso como poucos.

Nesse ambiente de comunicação ainda precária era essencial que pelo menos dentro da corretora não houvesse barreiras. Manter profissionais enclausurados em seus próprios cubículos, isolados uns dos outros, era algo que não fazia sentido para Jorge Paulo. Por isso, logo de cara ele adotou um modelo ainda novo no Brasil. Em vez da tradicional sucessão de salas fechadas, o escritório da corretora Garantia era um grande salão aberto, sem divisórias entre funcionários e sócios. Se por um lado a falta de paredes acabava com a privacidade, por outro agilizava o trabalho do grupo e minimizava as diferenças hierárquicas. O próprio Jorge Paulo ficava a maior parte do tempo em uma mesa no grande salão. Qualquer um podia se aproximar para falar com o chefe sem grandes rapapés. Em geral, ele e os outros sócios principais – Ramos da Silva, Arinos e Gentil – só se fechavam em suas salas particulares quando tinham assuntos confidenciais a tratar. Para completar o clima de informalidade, enquanto na maioria das instituições financeiras o uniforme oficial dos funcionários consistia em ternos sisudos e sapatos sociais, na corretora Garantia o pessoal vestia calças esportivas (com o tempo o cáqui se tornou praticamente a cor oficial) e camisas com mangas arregaçadas – um figurino que lembrava mais o ambiente de um campus universitário que o de uma corretora de valores.

~

Nada influenciou tanto a cultura construída no Garantia quanto o exemplo do americano Goldman Sachs. Fundado em Nova York, em 1869, pelo judeu alemão Marcus Goldman (seu genro, Samuel Sachs, entraria na firma três anos depois), o banco de investimentos se tornou o mais influente e poderoso do mundo. Charles D. Ellis, autor do livro *The Partnership – The Making of Goldman Sachs*, revela algumas das principais características da instituição:

"O Goldman Sachs era uma total meritocracia. O senhor Weinberg [Sidney Weinberg, que durante décadas foi o principal sócio do banco e o maior responsável por salvá-lo do quase colapso nos anos 30] não tolerava a política e as disputas internas que tanto prejudicaram outras firmas... Ele usava seu poder para manter baixos os salários, forçando os talentos sempre a investir na compra de uma participação no banco. Era bom para a empresa porque mantinha todo mundo focado sempre no que era melhor para a instituição como um todo. E era bom para os sócios porque os mantinha numa condição financeira modesta. Um sócio não podia se dar ao luxo de ter hábitos caros porque não tinha dinheiro para gastar...

A verdadeira cultura do Goldman Sachs era uma combinação única de uma tremenda vontade de ganhar dinheiro com as características de uma 'família', no sentido que chineses, árabes e europeus entendem muito bem... Fidelidade absoluta à firma e à sociedade era esperada. Apesar dos fortes sentimentos – incluindo rivalidades pessoais e rompantes de raiva – serem conhecidos dentro da sociedade, uma impenetrável parede de silêncio mantinha as tensões internas invisíveis para quem estava de fora. Nenhuma outra firma chegou perto disso... Discrição pessoal era praticamente um valor central do banco. Algumas coisas que concorrentes podiam celebrar ou ressaltar eram deliberadamente diminuídas. O prédio do Morgan Stanley, por exemplo, tinha um enorme letreiro em neon, mostrando cotações de ações que podiam ser vistas a várias quadras de distância. Em Nova York, Londres ou Tóquio não há nenhuma indicação da presença do Goldman Sachs – exceto os jovens homens e mulheres bem-vestidos que entram cedo no edifício ou saem tarde da noite."

Um século separa a fundação do Goldman Sachs do início das atividades do Garantia, mas as semelhanças entre as duas instituições são notáveis. Os primeiros contatos de Jorge Paulo Lemann com o banco americano se deram graças a um empurrão de seu tio, Louis Truebner, grande negociador de cacau. Truebner morava nos Estados Unidos e tinha conhecidos no GS que abriram as portas da instituição para seu sobrinho. Assim como o Goldman Sachs, Jorge Paulo e seus sócios professavam a meritocracia como um valor central. Detestavam aparições públicas. Entrevistas a jornalistas, por exemplo, eram poucas e ao longo dos anos foram escasseando até que praticamente desapareceram. Incentivavam a frugalidade e colocavam o sucesso do banco acima dos desejos ou vontades pessoais. Estimulavam a competição interna. Era uma lógica secular no banco estrangeiro, mas nova no Brasil. Para que esse modelo funcionasse, era preciso instilar na tropa um fervor quase messiânico. Só que, no Garantia, o "Messias" que movia o pessoal tinha outro nome: bônus.

Os melhores empregos no Brasil dos anos 70 estavam em multinacionais. O sonho da maioria dos jovens recém-formados e dos executivos era trabalhar em companhias como Shell, IBM ou Volkswagen. Nessas empresas não apenas o salário era alto, como o pacote de benefícios era completíssimo – carros com motorista, escola para os filhos e até títulos de clube entravam no jogo. Grandes grupos empresariais brasileiros de porte ainda eram raros e constituíam-se de companhias familiares, em que "forasteiros" raramente chegavam ao topo. Nessas empresas havia uma clara distinção entre os "donos" e os "outros". Remuneração variável, tanto em companhias brasileiras quanto nas multinacionais, era algo secundário.

O modelo copiado do Goldman Sachs por Jorge Paulo subvertia essa ordem. O Garantia pagava salários abaixo da média do mercado, mas os bônus podiam chegar a quatro ou cinco salários extras, uma exorbitância para a época – desde que os funcionários batessem suas metas. Era uma regra clara e simples, que valia até mesmo para os office boys: trabalhe bem e você será recompensado. Para Jorge Paulo era fundamental que todos, desde a base, se sentissem "donos" daquele negócio. Só assim dariam o melhor de si e fariam a instituição crescer. Para incentivar ainda mais o pessoal, os bônus eram pagos duas vezes ao ano.

Na pirâmide do Garantia, ao contrário da maioria das empresas, não havia uma multiplicação de níveis hierárquicos. O pessoal era dividido basicamente em três faixas. O pelotão de entrada – integralmente elegível a bônus – era chamado de PL (participação nos lucros) ou, como se falava pelos corredores, de "pelados". A faixa imediatamente acima era composta pelos "comissionados". Em vez de receber um múltiplo do seu salário, como um "pelado", cada comissionado embolsava uma pequena porcentagem sobre o lucro total da firma. Em geral isso significava uma distribuição entre 0,1% e 0,3% do resultado final para cada um. Todos os "pelados" ascendiam para o grupo superior? Não.

Havia um tempo mínimo para que um "pelado" se transformasse em "comissionado"? Não. Tudo dependia do desempenho.

Essa migração – de bonificável para comissionado – era o primeiro grande salto proposto pela tal meritocracia pregada por Jorge Paulo. Nem quem conseguia dar esse pulo podia ficar tranquilo. Como todos eram avaliados semestralmente pelos chefes, pares e subordinados, qualquer um podia ter sua comissão reduzida se o desempenho naquele período ficasse abaixo do esperado. E, para que alguém aumentasse sua comissão (ou um novo comissionado fosse escolhido), alguém tinha que perder. "Quando os sócios saíam da sala de reunião e falavam para o pessoal o que tinha sido decidido, quem havia ganhado e quem havia perdido, não tinha mais conversa. Esporadicamente alguém podia ir chorar lá com o Jorge, mas isso não era bem-visto", explica Diniz Ferreira Baptista, um dos mais longevos sócios do Garantia. (Diniz entrou em 1977 e saiu em 1995, quando tinha quase 5% de participação, para fundar o Banco Modal com outros dois ex-Garantia, Clóvis Macedo e José Antonio Mourão. Tempos depois, outro ex-Garantia, Ramiro Oliveira, ocuparia o lugar de Macedo no Modal.)

Quem era bom subia. Quem não era invariavelmente se tornava tema da chamada "reunião da fumacinha", como era conhecido o encontro anual dos sócios para determinar aqueles que seriam demitidos – a praxe era dispensar anualmente cerca de 10% do quadro. Por mais de uma década o Garantia trabalhou com uma equipe de pouco mais de 200 pessoas – uma regra criada por Jorge Paulo para evitar que a firma inchasse demais. Assim, mandar embora os piores era a única forma de abrir espaço para novos jovens talentosos. Nos dias em que acontecia a "reunião da fumacinha", a tensão se instalava no banco. Quem era chamado pelo chefe logo depois de os sócios deixarem a sala de reunião já sabia seu destino: rua. Zona de conforto era uma expressão que definitivamente não existia no vocabulário do Garantia.

O segundo salto – ainda mais difícil – era se tornar sócio. Os privilegiados que compunham essa faixa embolsavam, além da comissão, dividendos. Ao longo dos quase 30 anos de história do Garantia, cerca de 40 funcionários alcançaram o topo. Curiosamente, nunca houve uma mulher no pelotão de elite. A única regra para chegar a esse olimpo era trazer resultados espetaculares para a instituição e ser aceito, por unanimidade, pelos demais sócios, que definiam também de quanto seria a participação do novato. Os potenciais candidatos nunca sabiam se e quando se tornariam sócios nem qual o tamanho da sua fatia (para alguns ex-Garantia, isso significava uma falta de transparência no processo). "Do lucro do banco, 25% eram distribuídos como participação nos resultados, 15% como dividendos e 60% eram capitalizados", explica Baptista. "Era um dogma em que não se podia mexer."

O sistema de remuneração variável do Garantia era agressivo não apenas se comparado às empresas brasileiras da época e às subsidiárias das multinacionais, mas também a outras instituições do mercado financeiro. Tome-se o exemplo do Multiplic, comandado pelo mineiro Antonio José Carneiro, conhecido como "Bode" (um apelido que ganhou ainda na infância por causa do sobrenome), e por Ronaldo Cezar Coelho. O Multiplic foi fundado no Rio de Janeiro como uma corretora que anos mais tarde se transformaria em banco – uma rota idêntica à que seria traçada pelo Garantia. Ao longo da década de 70, cresceu exponencialmente até se transformar no maior rival do banco comandado por Jorge Paulo Lemann e seus sócios. De acordo com o livro *Passaporte para o ano 2000*, escrito pelo executivo Luiz Kaufmann, diretor-geral do Multiplic de 1985 a 1990, no final de 1989 o grupo tinha um patrimônio líquido de 160 milhões de dólares e administrava quase 2 bilhões de dólares em ativos. Mas, ainda que o caminho percorrido tenha sido parecido, os estilos do Multiplic e do Garantia eram um bocado diferentes.

Numa manhã de fevereiro de 2012, em seu escritório, localizado no último andar de um prédio de três pavimentos em uma rua tranquila do Leblon e decorado com duas belíssimas telas do pintor gaúcho Iberê Camargo, Carneiro relembra o passado. "Nós éramos os donos do mercado", diz ele, aos 70 anos, sem esconder um sorriso. A principal razão para as diferenças entre o Garantia e o Multiplic é que, desde 1978, a instituição comandada por Antonio José Carneiro e Ronaldo Cezar Coelho tinha um sócio estrangeiro, o inglês Bank of London, com 50% de participação (o Bank of London seria comprado pelo Lloyd's Bank anos depois). Nesse caso, distribuir ações entre os funcionários significaria desequilibrar a balança – algo que nenhum dos lados queria. "Nós pagávamos salários mais altos, distribuíamos bônus no final do ano, mas oferecer sociedade não dava", diz Carneiro, que começou sua carreira como caixa de uma agência do Banco Mercantil de Minas Gerais, no Rio de Janeiro. Depois de vender a participação dos brasileiros para o Llyod's em 1997 por 600 milhões de dólares, Carneiro passou a investir em diferentes negócios, de agências de publicidade a construtoras. Em 2012 boa parte de sua fortuna provinha da participação em empresas de energia elétrica.

No Garantia, ao contrário do que acontecia no Multiplic, era possível se tornar dono. Chegar ao topo, porém, custava caro. O banco não cedia uma participação acionária a um novo sócio. Ele a vendia. Um estudo de caso sobre o Garantia, preparado anos atrás pelos ex-alunos do Insper Fernando Muramoto, Frederico Pascowitch e Roberto Pasqualoni, detalha como os novos sócios pagavam sua participação. "Em média, 70% dos ganhos do novo sócio eram alocados para o pagamento dessas ações durante dois ou três anos", explica o estudo. "Quantitativamente, 1% em ações poderia significar uma dívida inicial de 600 mil dólares para o novo sócio, que seria abatida com participação nos lucros, comissões e dividendos a juros anuais de 6% em dólares." Apenas 30% da remuneração variável dos sócios era embolsada na hora.

VALORES

1) GENTE BOA TRABALHANDO COMO UM TIME E COM OBJETIVOS COMUNS É O ATIVO MAIS IMPORTANTE E DIFERENCIADOR DE UMA INSTITUIÇÃO.

2) ENCONTRAR, TREINAR E MANTER GENTE BOA É UM ESFORÇO CONSTANTE E PERMANENTE DE TODOS.

3) A REMUNERAÇÃO DAS PESSOAS DEVE SER ESTIMULANTE, JUSTA E EM EQUILÍBRIO COM OS INTERESSES GERAIS DA INSTITUIÇÃO.

4) A AVALIAÇÃO DAS PESSOAS É UM ITEM ESSENCIAL E CONSTRUTIVO PARA A INSTITUIÇÃO.

5) A PRINCIPAL FUNÇÃO DOS CHEFES É ESCOLHER PESSOAS MELHORES DO QUE ELES PARA DAR CONTINUIDADE À INSTITUIÇÃO.

6) LIDERANÇA É EXERCIDA POR IDÉIAS CLARAS E PELO EXEMPLO DIÁRIO NOS MÍNIMOS DETALHES.

Documento do Garantia mostra os princípios que nortearam o banco – e depois os outros negócios comandados por Jorge Paulo Lemann, Marcel Telles e Beto Sicupira: gente boa, treinamento, remuneração adequada, controle de custos e simplicidade.

7) DEBATER É IMPORTANTE, MAS TUDO TEM DE TER UM RESPONSÁVEL E NO FINAL ALGUÉM TEM DE TOMAR UMA DECISÃO.

8) O BOM SENSO VALE TANTO E ATÉ MAIS DO QUE IDÉIAS COMPLEXAS. O SIMPLES É SEMPRE MELHOR QUE O COMPLEXO.

9) A BOA INSTITUIÇÃO ESTÁ SEMPRE QUERENDO MELHORAR. SEJA QUAL FOR O GRAU DE SUCESSO, EXISTE A POSSIBILIDADE DE MELHORIA. ISTO GARANTE UMA VANTAGEM COMPETITIVA DURADOURA.

10) REDUZA SEMPRE OS CUSTOS. É UMA VARIÁVEL SOBRE O SEU CONTROLE E QUE GARANTE A SOBREVIVÊNCIA.

11) AS INOVAÇÕES QUE CRIAM VALOR SÃO ÚTEIS, MAS COPIAR O QUE FUNCIONA BEM É MAIS PRÁTICO.

12) A MELHORIA E EDUCAÇÃO CONTÍNUA DOS ASSOCIADOS TÊM DE SER UM ESFORÇO PERMANENTE E INCORPORADO ÀS ROTINAS.

13) SÓ APARECER NAS NOTÍCIAS COM OBJETIVOS CONCRETOS.

14) FOCO, FOCO, FOCO; FOCO NO ESSENCIAL.

15) COMUNICAÇÃO E DADOS ESSENCIAIS CIRCULANDO COM TRANSPARÊNCIA AJUDAM A EDUCAR, EMPURRAR NA MESMA DIREÇÃO E CRIAR UMA VANTAGEM COMPETITIVA.

16) VALORIZE A RETAGUARDA.

17) ÉTICA TOTAL É ESSENCIAL.

18) DEMORA-SE MUITO PARA CONSTRUIR A REPUTAÇÃO QUE PODE DESAPARECER RAPIDAMENTE.

19) PARA CHEGAR AO POTE DE OURO NO FIM DO ARCO-ÍRIS VOCÊ TEM DE PERCORRER TODO O ARCO-ÍRIS, MAS FAÇA ISTO COM LUCRO PELO CAMINHO.

20) UM SONHO GRANDE, DESAFIADOR, COMUM E ESSENCIAL AJUDA TODOS A TRABALHAREM NA MESMA DIREÇÃO.

Esse mecanismo cumpria ao mesmo tempo dois propósitos. O primeiro era reter os talentos – deixar o banco antes de receber integralmente sua participação acionária parecia um péssimo negócio. Além disso, evitava que os sócios tivessem dinheiro demais no bolso e perdessem o foco no trabalho. "No começo era duro porque o que você ganhava mal dava para pagar as ações", lembra Diniz. "Mas, como todos achavam que aquele negócio ia vingar, quem tinha chance sempre queria comprar."

De quebra, a regra ajudava a manter o clima de austeridade que Jorge Paulo pregava. Dentro e fora do banco, ele sempre foi um homem de modos simples. Não tinha secretária particular (um pequeno grupo de funcionárias atendia a todos os sócios), não usava relógios de grife, não dirigia carrões importados. Quando recebia gente para almoços no Garantia, dispensava garçons e ajudava a servir os convidados. Ao despedir-se de qualquer visitante, fazia questão de acompanhá-lo até o elevador (um hábito que ainda mantém). A simplicidade, aliás, o salvou de um aperto em 1991. Ele dirigia pela estrada Rio-Santos e parou em um posto de combustível para abastecer. Enquanto enchia o tanque, o local foi assaltado. Seu carro, um Passat com mais de 10 anos de uso, não despertou qualquer interesse dos marginais – e Jorge Paulo pôde seguir viagem tranquilamente.

~

O carioca José Antonio Mourão personifica como poucos a ascensão que era possível dentro do Garantia. Nascido em Vista Alegre, no subúrbio do Rio de Janeiro, Mourão chegou a trabalhar com o pai num açougue de bairro antes de ingressar na corretora, em 1972, aos 16 anos, como office boy. Entre suas atribuições estava comprar lanches para o pessoal do escritório e correr até a casa de Lemann para buscar uma raquete quando surgia algum jogo de tênis inesperado para o chefe. Trabalhava durante o dia e à noite cursava o antigo "científico", equivalente hoje ao ensino médio. Apesar da origem humilde, Mourão sempre achou que se trabalhasse muito ganharia dinheiro. Era um legítimo PSD. Chegava às sete da manhã e ficava até a hora de ir para a escola. Não tinha a menor ideia do que significava meritocracia quando entrou no Garantia, mas rapidamente sentiu os efeitos daquele conceito. "Depois de poucos meses de casa eu ganhei um dinheiro extra que não esperava", diz Mourão. "Aí eu vi que ali havia algo realmente diferente."

Mourão não estava disposto a deixar aquela chance passar. Decidiu estudar economia na Universidade Gama Filho e se enfronhar o máximo possível no dia a dia do banco. Perdeu a conta de quantas noites passou em claro na firma. Trabalhou em várias áreas até que em 1985, 12 anos depois de entrar no Garantia e com menos de 30 anos, tornou-se sócio. Sua primeira missão foi se mudar para São Paulo, para ajudar a cuidar de uma operação menor que a da sede, mas com grande potencial. A sociedade o obrigou a abandonar um antigo hábito, o de chamar o fundador do banco de "seu" Jorge Paulo. "Um dia ele me disse que já éramos sócios e que não fazia mais sentido chamá-lo daquela maneira." Nada mau para um garoto que havia começado a carreira no Garantia carregando as raquetes do dono.

Missão dada
é missão cumprida

Trabalhar no mercado financeiro nunca foi moleza – nem no Brasil nem fora do país. Tomar decisões que movimentam tanto dinheiro em curtos períodos de tempo significa estar sob pressão constante. Quem não tem sangue-frio sucumbe no meio do caminho. A vida em Wall Street, o centro financeiro dos Estados Unidos, por exemplo, sempre foi duríssima. "Workaholics são normais", escreve Charles D. Ellis em seu livro sobre o Goldman Sachs. A rotina do banco de investimentos mais poderoso do mundo, de acordo com seu relato, prevê que os funcionários dediquem sua vida quase integralmente ao trabalho. Recém-contratados normalmente trabalham das oito da manhã às seis da tarde, param para fazer um lanche rápido e depois retomam a jornada até nove ou dez da noite. Muita gente ainda avança até quase meia-noite.

No antigo Salomon Brothers, fundado em 1910 e vendido ao Travelers Group em 1998, o dia a dia era igualmente tenso. O ex-funcionário do banco Michael Lewis conta no livro *Liar's Poker*, de forma um tanto dramática, como era a vida de um analista como ele nos anos 80:

"Os chefes davam bipes aos seus analistas favoritos para que eles pudessem ser encontrados a qualquer momento. Alguns dos melhores ana-

listas perderam a vontade de viver vidas normais. Eles se entregaram completamente aos empregadores e trabalhavam sem parar. Raramente dormiam e com frequência pareciam doentes: quanto mais eles melhoravam no trabalho, mais pareciam estar perto da morte."

No Garantia, a pressão e a busca inclemente por resultados foram levadas ao paroxismo. Chegar cedo, sair tarde, varar noites em claro não eram exceção. As jornadas de trabalho duravam de 12 a 14 horas diárias, muitas vezes avançando pelos fins de semana. Obviamente, vida pessoal e família eram frequentemente sacrificadas. "Eu trabalhava muito, não vi meus filhos crescerem", admite o ex-sócio Diniz Ferreira Baptista. No escritório de ambientes abertos, em que todo mundo fiscalizava todo mundo, costumava-se bater palmas para quem se levantava mais cedo que o habitual para ir para casa. Uma ironia, claro, em geral acompanhada da incômoda pergunta: "Está fazendo meio período hoje?" O tom podia ser de brincadeira, mas não escondia a acidez. Como é de se imaginar, tratava-se de um esquema que não servia para qualquer pessoa. Tornou-se lendária a história de um advogado contratado pelo Garantia que abandonou o trabalho no primeiro dia – saiu para o almoço e nunca mais voltou, assustado com o que vira em poucas horas de expediente.

Nesse esquema de dedicação total, quem trabalhasse no Garantia deveria estar disponível para mudar de departamento ou até de cidade. O bordão "missão dada é missão cumprida" sempre fez sentido na história da firma. O ex-sócio Clóvis Macedo, por exemplo, foi "convidado" a se transferir do Rio de Janeiro para São Paulo no início dos anos 80 para prospectar clientes. Ainda que jamais tivesse sonhado com essa mudança, ele a aceitou. Recusar uma oferta desse tipo não era uma opção – pelo menos para quem queria crescer dentro da instituição. Marcelo Barbará, um carioca de família tradicional que começou sua carreira no Garantia operando telex, passou por uma experiência semelhante em 1993. Ele trabalhava na mesa de operações quando Jorge Paulo Lemann pediu que fosse cuidar do departamento administrativo do banco, responsável por atividades como custódia, sistemas e controladoria. Desde o fracasso da Invesco, nos anos 60, Jorge Paulo nunca mais descuidou dessa área em seus investimentos. Só que o charme, a adrenalina e o dinheiro passavam pela mesa de operações, onde Barbará estava, e não pela burocracia da administração. Era como trocar o palco pela coxia, mas o jovem nem discutiu. "Eu era muito leal ao Jorge e não passava pela minha cabeça recusar uma missão, até porque isso seria muito malvisto", afirma Barbará. "Além disso, o Jorge deixou nas entrelinhas que ali era o caminho mais rápido para eu virar sócio do Garantia." Barbará fez sua parte – acatou a mudança e cuidou da parte administrativa do banco. Jorge Paulo também fez a dele. Dezoito meses depois da transferência, Barbará tornou-se sócio do banco.

Detectar de cara quem aguentaria o tranco era fundamental. Os testes de resiliência começavam logo que o candidato a uma vaga fazia a entrevista de emprego – outro aspecto em que o Garantia se assemelhava a grandes instituições americanas. No Salomon Brothers, uma das técnicas utilizadas pelo entrevistador era pedir que o candidato abrisse a janela da sala onde aconteciam as avaliações, localizada no 43º andar do edifício-sede do banco, em Wall Street. O truque é que a janela era selada. O entrevistador queria apenas ver qual seria a reação do candidato. Reza a lenda que um dos jovens chegou a arremessar uma cadeira para quebrar o vidro, de tão desesperado que estava para conseguir o emprego. Outra estratégia dos entrevistadores do Salomon Brothers era ficar em silêncio. O candidato entrava na sala e o entrevistador não falava nada. O candidato o cumprimentava, ele não falava nada. O candidato discorria sobre suas experiências ou contava uma piada – e nada. Nem um sorriso, nem uma palavra. O entrevistador apenas olhava fixamente nos olhos do coitado à sua frente. Quanto tempo alguém resiste a uma situação dessas? Como reage? Era isso que o entrevistador queria saber. No Goldman Sachs, no final dos anos 70, um recrutador chegou às raias do absurdo ao perguntar a uma estudante da Stanford Business School se ela faria um aborto caso estivesse no meio de uma negociação importante para a firma e ficasse grávida (dentro do banco houve quem considerasse a questão apenas um leve exagero).

No Garantia cada candidato era geralmente submetido a uma bateria de pelo menos uma dezena de avaliações para que fosse aprovado. Entre os entrevistadores havia sempre alguns dos principais sócios da firma, inclusive Jorge Paulo Lemann. Mais que perguntar sobre a formação ou a experiência do sujeito, algo que poderia ser lido no currículo, o entrevistador queria saber se o candidato era feito do material necessário para a instituição. Ter "faca no dente" e "brilho no olho" sempre foram características esperadas dos candidatos, e ninguém, nem mesmo velhos amigos de Jorge Paulo, era dispensado da sabatina.

Dick Thompson e Jorge Paulo Lemann se conheceram na Escola Americana, onde ambos estudavam – Thompson, três anos mais velho que Jorge Paulo, era amigo de Alex Haegler. Nos anos 60 se reencontraram quando ambos trabalharam na Invesco. No final de 1972, depois de vender sua pequena corretora, Thompson se candidatou a uma vaga na área comercial do Garantia. Mesmo conhecendo o dono da instituição há décadas, ele foi submetido ao mesmo ritual pelo qual passava qualquer candidato. "Havia umas oito ou nove pessoas para me entrevistar. Todos juntos na mesma sala, inclusive o Jorge Paulo. Vinha pergunta de todo lado. Você precisava ter uma confiança muito grande em si mesmo para não sair de lá completamente abalado", lembra Thompson. Ele foi aceito, tornou-se sócio e só deixou a instituição duas décadas depois para se dedicar a uma atividade completamente diferente: a produção de alimentos orgânicos em uma bela propriedade de 50 hectares, o Sítio do Moinho, em Itaipava, na serra fluminense.

Dentre os algozes dos candidatos, o mais desconcertante era Luiz Cezar Fernandes. Em tempos pré-politicamente corretos, ele tinha um repertório de questões que escandalizaria qualquer profissional de recursos humanos nos dias de hoje. Perguntar, por exemplo, se o sujeito era homossexual ou quantas vezes transava por semana era comum. "A resposta em si pouco importava. Eu só queria saber como a pessoa reagiria, se aguentaria o tranco. Foi por isso que criamos um processo muito agressivo de entrevista", lembra Fernandes. "Depois isso degenerou um pouco..."

Alexandre Abeid se recorda das perguntas nada ortodoxas formuladas por Fernandes em sua entrevista. Com seu 1,95m de altura, Abeid levava uma vida um tanto diferente dos outros profissionais do Garantia: trabalhava no mercado financeiro e, paralelamente, jogava na seleção brasileira de voleibol. Ele chegou a disputar os Jogos Olímpicos de Munique, em 1972, e os de Montreal, em 1976. Em 1975, quando terminava seu MBA no Coppead, foi convidado a fazer uma entrevista no Garantia. A primeira conversa foi justamente com Luiz Cezar Fernandes:

– E aí, você gosta de um fuminho, de uma maconha?

– Não, Cezar, eu não sou disso. Levo vida de atleta...

Apesar das idiossincrasias – ou talvez por causa delas –, Fernandes tinha um faro notável para recrutar gente boa. Nenhuma de suas contratações, porém, teria tanto impacto sobre a história do Garantia quanto a do jovem Marcel Herrmann Telles.

~

O carioca Marcel Herrmann Telles foi trabalhar no mercado financeiro por uma única razão: queria ganhar dinheiro, muito dinheiro.

Marcel nasceu em 23 de fevereiro de 1950, filho de um piloto de avião e de uma ex-secretária da embaixada americana que depois do casamento passou a se dedicar exclusivamente à família. Durante a infância, estudou no Colégio Santo Inácio, tradicional instituição de ensino do Rio de Janeiro. "Naquela época, o colégio estava muito próximo das ideias originais de Santo Inácio, um oficial do exército espanhol do século XVI", explica o advogado Paulo Aragão, sócio do escritório Barbosa, Mussnich, Aragão e contemporâneo de Marcel no colégio. "Nossa formação tinha um forte apelo militar, com muito foco e disciplina." Marcel, um garoto introspectivo e CDF, levava para casa um boletim recheado de boas notas. No tempo livre, gostava de escrever poesia e pintar (o esporte só entraria em sua vida depois dos 20 anos, em parte por influência dos seus futuros sócios no Garantia).

Do Santo Inácio, Telles seguiu direto para o curso de economia da Universidade Federal do Rio de Janeiro. No final da graduação começou a notar que alguns conhecidos chegavam para as aulas dirigindo motos bacanas e vestindo ternos bem cortados. Quis saber de onde vinha aquilo e ouviu dizer que aquele pessoal trabalhava no mercado financeiro. Ele não tinha a menor ideia de como funcionava o setor nem conhecia qualquer figurão. Por conta disso, teve que entrar pela porta dos fundos. Conseguiu um emprego em 1970 na corretora Marcelo Leite Barbosa, então uma das maiores do país, conferindo boletos da bolsa de valores da meia-noite às seis da manhã. Pouco tempo depois foi trabalhar na área de informática. Um dia soube que o dono da corretora tinha dito no elevador que, se pudesse, se livraria de todas as atividades da empresa e ficaria só com o 8º andar, onde funcionava o open market. Marcel, que a essa altura já tinha feito um curso de operador de pregão, decidiu que o open, área ainda pouco conhecida na época, seria seu destino. Tentou primeiro uma vaga na própria Marcelo Leite Barbosa. Como não conseguiu nada, o jeito foi caçar uma oportunidade fora. A chance surgiu no Garantia.

Jorge Paulo Lemann estava viajando e sua entrevista seria com Luiz Cezar Fernandes. Marcel chegou cedo, como combinado, mas tomou um inesquecível chá de cadeira. Fernandes apareceu na recepção só no fim do dia. Em vez de chamar o jovem para a entrevista, ele apenas o cumprimentou e foi embora, sem dar explicações. Aos 22 anos, teimoso e ambicioso, Marcel não se abalou. Voltou no dia seguinte e dessa vez Fernandes o atendeu. Além de formular as habituais perguntas capciosas, o banqueiro avisou ao candidato que, apesar de formado, precisaria começar de baixo. Era norma no Garantia que a primeira atividade dos recém-recrutados seria sempre a liquidação, ou, como se falava dentro da firma, o "balé do asfalto". Apesar do nome poético, a função não tinha nada de glamurosa. O liquidante nada mais era que um office boy de luxo, que levava para cima e para baixo todos os papéis negociados pelo banco. Marcel não viu o menor problema em pagar o pedágio. Ele faria qualquer coisa para chegar a operador do tal open market.

O balé do asfalto durou poucas semanas. Em seguida Marcel foi transferido para a área técnica do banco. Ele tinha pressa. Para se aproximar de seu objetivo, pediu a um dos principais operadores da mesa para cuidar de uma operação simples, conhecida como "cheque BB", que movimentava papéis do Banco do Brasil apenas entre oito e nove da manhã – horário que em nada comprometia seu trabalho. Como argumento extra para convencer o tal operador a deixá-lo chegar perto da mesa, Marcel prometeu lhe dar carona todos os dias, em seu Fusca azul-marinho ano 72. Talvez por confiar em Marcel, talvez por precisar desesperadamente do transporte, o sujeito topou a oferta. Não demorou para Marcel mostrar que era um talento natural como operador. Tinha sangue-frio, tomava decisões rapidamente, estava sempre bem informado.

Graças a suas conexões no exterior, Jorge Paulo Lemann conseguiu um estágio para Luiz Cezar Fernandes nas matrizes do JP Morgan e do Goldman Sachs, nos Estados Unidos. Disléxico, Fernandes nunca conseguiu aprender outros idiomas e precisaria de alguém que o acompanhasse como tradutor. O intérprete devia ser alguém que falasse inglês, entendesse do mercado financeiro e parecesse confiável. O escolhido foi Marcel Telles. Fernandes descreve a viagem da dupla:

"O estágio foi uma beleza. O Marcel, um cara superinteligente, foi exposto aos melhores bancos e entendeu aquilo tudo rapidamente... No Goldman ouvimos pela primeira vez a palavra overnight. Que porra era aquela de aplicações que podiam ser resgatadas no dia seguinte? Aqui a gente só sabia tomar dinheiro por 30 dias, 180 dias... Aprendemos como era e trouxemos a tecnologia do overnight para o Brasil...

Depois a gente foi para uma empresa chamada Discount, que era a maior dealer do Fed (o banco central americano) na época. Aí vimos como eles lidavam com títulos do Tesouro, como lidavam com leilão e também trouxemos para discussão no Banco Central."

O bom desempenho de Marcel na mesa de operações e sua capacidade de colocar em prática coisas novas chamaram a atenção de Jorge Paulo. Numa conversa com Marcel, o financista elogiou seu desempenho e avisou que ele poderia chegar a sócio. Para o jovem de classe média que jamais vislumbrara a possibilidade de migrar da condição de empregado para dono, a "cenoura" que o chefe oferecia era tentadora. Ganhar dinheiro e ainda por cima fazer as coisas do seu jeito parecia bom demais. Menos de dois anos depois de entrar na corretora, Marcel Telles ganhou o direito de comprar uma participação de 0,5%. Não era muito, mas era um começo.

Praticar pesca submarina exige paciência e controle. O atleta desliza para águas profundas sem saber ao certo o que encontrará lá embaixo. Precisa calcular com exatidão o tempo que ficará submerso e a que profundidade descerá para não correr o risco de ficar sem oxigênio. Suas possíveis presas se afastam, se escondem atrás de pedras, dentro de cavernas e até de barcos afundados. Sob as águas tudo silencia. O pescador precisa passar despercebido para se aproximar de seus alvos. Seus movimentos têm que ser lentos e calculados. Atento, nunca tenso, ele deve manter a respiração tranquila. Seus batimentos cardíacos desaceleram. Quando nota um peixe desavisado, lança seu arpão. Ainda que o tiro seja perfeito, não há garantia de vitória. Peixes maiores ou ariscos só se entregam depois de muita luta. Para voltar à superfície com seu troféu, o pescador precisará de sangue-frio, precisão e ritmo até o final.

O carioca Carlos Alberto da Veiga Sicupira, conhecido como Beto desde criança, é um especialista em pesca submarina. Seu nome está estampado como recordista mundial em seis categorias desse esporte radical. A maior conquista foi um marlim-azul de 301,2 quilos, fisgado em Cabo Frio, no litoral fluminense, em 2006. Nascido em 1º de maio de 1948, ele se apaixonou pelo mar ainda na infância – o garoto dizia que seu futuro seria na Marinha. Filho de um funcionário público que fez carreira no Banco do Brasil e no Banco Central e de uma dona de casa, ele só começou a levar a sério a ideia de empreender na adolescência, quando um amigo ofereceu capital para que eles entrassem no comércio de carros usados. Fisgado pelo empreendedorismo, abandonou a ideia de se tornar almirante. A partir daquele momento o mar se tornaria um hobby e o jovem procuraria uma atividade em que não houvesse um teto para seu crescimento.

Difícil no começo foi encontrar o que funcionasse. Além do negócio com carros usados, Beto vendeu calças jeans (que ele mesmo buscava nos Estados Unidos) e, aos 17 anos, emancipou-se para comprar uma carta patente de uma distribuidora de valores. Um ano depois, já no curso de administração de empresas da Universidade Federal do Rio de Janeiro (UFRJ), vendeu a distribuidora e passou pouco mais de um ano em empregos públicos – no Departamento Nacional de Estradas de Ferro, no Porto do Rio de Janeiro e no Serviço Federal de Processamento de Dados. Tudo burocrático e lento demais para alguém que procurava algo que não tivesse limites. Ele achou que era hora de tentar novamente o mercado financeiro.

Em 1968, dois anos depois de comprar sua primeira carta patente, Beto se juntou a um grupo de amigos para arrematar uma pequena distribuidora de valores que, pouco tempo depois, se fundiu com a Cabral de Menezes. Por quatro anos, ele trabalharia na corretora. Nesse período, num voo de Nova York para Washington, conheceu Luiz Cezar Fernandes. Os dois se sentaram lado a lado no avião. "Beto era muito falante e doido para conhecer o Jorge Paulo", lembra Fernandes. Graças à pesca submarina, esporte que ambos praticavam, aos 21 anos Beto foi apresentado a Jorge Paulo (nove anos mais velho). Rapidamente os dois se tornaram amigos. Eles pescavam, conversavam sobre negócios, ganhavam a confiança um do outro. Mesmo assim, quando deixou a Cabral de Menezes, Beto decidiu aceitar uma oferta do Marine Midland Bank, em Londres, em vez de ir para a corretora Garantia. Foi só em 1973, quando voltou ao Brasil, que finalmente aceitou a proposta do companheiro de pescaria. Ele não sabia quanto iria ganhar nem qual seria seu cargo, mas achava que ali havia um futuro promissor. "Todas as pessoas que eu já vi que se preocupavam com centavos nunca fizeram nada grande", disse certa vez.

Quem não entrega cai fora

Sem crescimento, meritocracia não passa de um discurso bonito. Como criar oportunidades de ascensão para os melhores numa companhia que anda de lado? Como remunerar melhor seus talentos se o resultado da firma não aumenta? Jorge Paulo Lemann sempre soube que, para que sua filosofia fizesse sentido, era preciso manter a engrenagem em constante aceleração. Por isso, quando em 1976 o americano JP Morgan, então o maior banco do mundo em valor de mercado, bateu à sua porta para oferecer sociedade, Jorge Paulo quase cedeu à tentação.

O JP Morgan queria começar a operar no Brasil e a corretora Garantia parecia ser o parceiro perfeito. Começaram as negociações. Para a corretora, associar-se ao banco americano representaria não apenas uma injeção de capital, mas também uma espécie de selo de qualidade internacional. Acima de tudo, seria a chance de dar um salto de crescimento. Para a instituição americana, que não fazia ideia de como operar no Brasil, contar com o pessoal arrojado e arrogante da corretora carioca seria a melhor forma de abrir portas por aqui. Juntos, eles seriam mais eficientes que separados.

Em tese, tudo fazia sentido. O problema com as teses, como se sabe, é que na prática as coisas costumam ser diferentes. Jorge Paulo sempre foi um sujeito com os olhos voltados para o futuro. Quando o financista começou a pensar no efeito daquele negócio a longo prazo, seu entusiasmo evaporou. A associação com o JP Morgan aceleraria o crescimento da corretora naquele momento, mas poderia representar o seu fim em alguns anos. O carioca acabaria perdendo o controle da firma – e a cultura que criara inexoravelmente seria engolida pela da corporação gigantesca. A experiência do estágio no burocrático Credit Suisse ainda estava fresca na memória, e ele não queria viver situação semelhante. Entre embolsar um dinheiro alto arriscando o futuro e tentar ganhar espaço sozinho, mantendo os valores que pregava, ficou com a segunda opção. "Foi uma decisão épica, a mais difícil que eu já tomei", disse certa vez.

Faltava comunicar ao JP Morgan que a transação não iria acontecer. O problema é que o brasileiro queria recuar sem se indispor com o maior banco do mundo. A saída encontrada por Jorge Paulo foi criar "dificuldades" para concretizar o negócio. Inicialmente ficara acordado que o Morgan teria 30% da nova instituição (o máximo permitido na época), a corretora Garantia, pouco mais de 40% e o restante seria distribuído entre investidores brasileiros a serem definidos. Lemann, então, acionou contatos no Banco Central pedindo que o BC só desse uma carta patente à nova instituição formada pela associação entre JP Morgan e Garantia se 51% do capital ficassem nas mãos do fundador da corretora. Ele imaginava que, quando o JP Morgan percebesse que nunca seria controlador da nova instituição, desistiria da associação. Acertou a previsão. Ao saber da nova determinação do BC, o Morgan capitulou. A negociação foi abortada e cada um seguiu para o seu lado.

O banqueiro se livrou do JP Morgan, mas a ideia de ter um banco de investimentos já estava semeada. Poucos meses depois do encerramento das negociações com os americanos a corretora Garantia conseguiu uma carta patente para entrar nesse ramo sozinha. "Vamos ser maiores que o Bozano", Jorge Paulo costumava dizer aos sócios, em uma referência ao banco de investimentos fundado por

Julio Bozano e Mario Henrique Simonsen, que naquela época dominava o mercado.

Para chegar lá, ele deveria continuar atraindo gente boa e distribuindo ações do banco entre os melhores. Mas, para que um novato talentoso ganhasse espaço, alguém necessariamente deveria ser esvaziado. E os primeiros a sentir esse efeito da meritocracia proposta por Jorge Paulo foram os sócios que o acompanharam na fundação da corretora Garantia.

Embora todos tivessem suas salas no banco, encontrá-los por ali trabalhando havia se tornado raridade. José Carlos Ramos da Silva, por exemplo, que acompanhara Jorge Paulo desde os tempos da Libra, estava empolgadíssimo com a fortuna que havia amealhado e não queria mais saber de ficar pendurado no telefone negociando papéis. Seu tempo passou a ser dedicado às namoradas e ao automobilismo – Ramos da Silva começou a pilotar como hobby, mas chegou a participar de campeonatos brasileiros de provas longas por três anos.

A partir de 1975, Jorge Paulo começou então a comprar fatias da participação do amigo, até que, três anos depois, Ramos da Silva deixou completamente a sociedade. Adolfo Gentil, o responsável por financiar a maior parte da compra da corretora Garantia, desde o início avisara que entraria só com o dinheiro e que não pretendia trabalhar. O arranjo funcionou por alguns anos, mas logo a turma que vinha de baixo começou a questionar a participação do sócio que não trazia receita para a firma e passava seus dias numa casa nababesca, com direito a piscina olímpica, jardins tropicais e quadra de tênis, na ainda quase selvagem Barra da Tijuca. Pressionado por Jorge Paulo – ou trabalhava ou saía –, Gentil vendeu sua fatia, mas a relação entre os dois azedou. Aos amigos, Gentil nunca escondeu que achou a manobra uma tremenda ingratidão com quem o ajudou no início. (Na história do Garantia, a regra de que todos os sócios precisavam trabalhar na instituição foi quebrada apenas uma vez: Alex Haegler, primo de

Lemann, jamais deu expediente e mesmo assim tinha uma pequena participação, inferior a 1%.)

Guilherme Arinos foi o único dos sócios fundadores que Jorge Paulo Lemann não conseguiu afastar. Da mesma forma que jamais se desfez de seu título do Country Club do Rio, apesar de ter levado bola preta dos demais sócios (o que na prática o impossibilitava de usufruir do clube ainda que fosse dono do título), Arinos se recusava terminantemente a vender sua fatia no Garantia. Permaneceu até 1998, quando o banco foi parar nas mãos do Credit Suisse (Arinos faleceu em outubro de 2011, aos 96 anos).

Ao conseguir comprar as participações de Ramos da Silva e Gentil, Jorge Paulo Lemann pôde acelerar a distribuição das ações entre o pessoal mais jovem. A participação inicial de Jorge Paulo no Garantia, que era de 25%, chegou a mais de 50% em 1978. Depois foi paulatinamente diminuindo à medida que vendia ações da instituição para os novos sócios. Essa administração da sociedade era uma tarefa delicada, que exigia dedicação constante. O carioca Marcelo Medeiros, sócio do Garantia nos anos 90, lembra como o banqueiro lidava com a questão:

"Ele pensava o tempo todo em como a sociedade tinha que evoluir... Nas reuniões para decidir a entrada de novos sócios ele tirava um papelzinho do bolso e dizia quem tinha que vender participação, quem tinha que comprar e quanto... Distribuía as ações e ajustava a sociedade. A discussão sobre a entrada de novos sócios era muito conduzida por ele. Mesmo quando o Jorge Paulo estava quieto, todo mundo sabia que precisava apresentar argumentos que ele aceitasse..."

Quando o Garantia passou para as mãos do Credit Suisse em 1998, Jorge Paulo Lemann já havia transferido quase metade de sua participação – sua fatia era, então, inferior a 30% do capital.

~

No final dos anos 70, o Garantia contava com quase 200 funcionários, a maioria formada por homens na faixa dos 20 e poucos anos e com o tal perfil "PSD". Todos sonhavam com o topo prometido e faziam quase tudo para chegar lá. Constranger um colega na frente de outras pessoas durante as avaliações semestrais era comum. Como a hierarquia tinha pouca importância ali, passar por cima do chefe e falar diretamente com o superior dele também fazia parte das práticas corriqueiras. De vez em quando os ânimos se exaltavam de tal maneira que discussões se transformavam, literalmente, em pancadaria – numa ocasião, um operador virou um balde cheio de água na cabeça de um desafeto, em plena mesa de trabalho. Tiveram de ser separados pelos colegas.

Quase uma dezena de pessoas entrevistadas para este livro utilizaram a expressão "panela de pressão" para descrever o dia a dia no banco. O ex-sócio Alex Abeid faz uma analogia formidável: "Era como se você jogasse numa jaula cinco gorilas e deixasse uma fêmea do lado de fora. Alguém vai morrer ali, concorda?" Embora possa parecer um ambiente cruel para muita gente, sujeitos como Abeid encaravam aquilo apenas como uma disputa em que os melhores sobrevivem. "Quando você sabe a regra do jogo é fácil jogar. Se um cara conseguir me tirar, ele foi mais capaz, ele ganhou o jogo e eu parto para outra. Essa era uma regra que todo mundo sabia."

Num mundo pré-assédio moral, até mesmo as brincadeiras entre o pessoal que trabalhava no mercado financeiro como um todo, e no Garantia em particular, tinham um quê de agressividade. O fato de praticamente não haver mulheres no banco também ajudava a deixar o ambiente com um jeitão de colégio interno, em que trotes e pegadinhas eram considerados aceitáveis. Um dos alvos frequentes das brincadeiras era Fred Packard, um inglês recrutado por Jorge Paulo

Lemann em 1974. Entre as principais funções de Packard estava abrir caminho para o Garantia no mercado internacional, num tempo em que a palavra globalização ainda não fazia parte do repertório corporativo. Formal, como se espera de um inglês, Packard era a única pessoa do banco que usava terno. Um de seus hábitos era tirar os sapatos quando estava sentado em sua mesa. Vira e mexe alguém surrupiava um dos calçados e o escondia (vale dizer que Packard não foi o único ali a ir para casa descalço depois de ter os sapatos escondidos). Como viajava muito, os colegas costumavam pedir que ele entregasse uma "encomenda" no seu destino – pacotes pesados e inúteis que normalmente não passavam de listas telefônicas ou tijolos.

Nenhum episódio foi tão embaraçoso como quando Packard experimentava um terno numa sala de reunião do banco e teve suas calças roubadas por colegas. Ele nem pôde reagir. Assim que a roupa sumiu, um de seus principais clientes, o dono de uma engarrafadora da Coca-Cola do interior paulista, entrou na sala. Catatônico, Packard afundou-se numa cadeira na ponta da mesa, vestindo apenas camisa, paletó e cuecas. O cliente achou estranho que o inglês, normalmente tão educado, não se levantasse para cumprimentá-lo, mas não disse nada. Packard manteve a fleuma e conduziu a reunião até o final, mesmo naquela situação bizarra. O cliente foi embora sem desconfiar que seu interlocutor estava seminu enquanto discutiam negócios importantes. "Aquela porra era um circo", diz o antigo sócio que relatou essa história, sem economizar palavrões. O Garantia nunca foi um lugar para ouvidos sensíveis.

Não por acaso, as maiores barbaridades eram arquitetadas na mesa de operações, o lugar mais tenso do banco. Marcel Telles, o chefe da mesa, não só estimulava como participava ativamente dos trotes. Ele próprio foi vítima dessas "molecagens" logo que chegou. (No que se refere às brincadeiras, o máximo que Jorge Paulo Lemann topava era uma corrida pelas escadas do prédio do Garantia, do 22º andar até o térreo. Beto Sicupira sempre se manteve afastado das gozações.) Marcel falava um dia em dois telefones ao mesmo tempo – numa linha com o Banco Central e na outra com um cliente. Os colegas viram que sua camisa tinha um furo no cotovelo e não tiveram dúvida: começaram a rasgá-la. Marcel, que não podia parar a negociação no meio, teve de aguentar o trote sem reclamar. Ao final, da camisa sobraram o colarinho e os punhos, mas nenhum dos interlocutores do operador jamais soube o que acontecia enquanto ele estava ao telefone.

Casamentos eram um prato cheio para as brincadeiras – muitas delas de gosto duvidoso. Pergunte a qualquer um que tenha trabalhado no Garantia nos anos 70 e 80 como era o clima no banco, e a chance de ouvir falar no "casamento do Jacaré" é enorme. "Jacaré" era o apelido de Leopoldo Caetano, operador da mesa e um tirador de sarro nas horas vagas. A cerimônia seria realizada na Capela da Reitoria da UFRJ, no bairro da Urca, e os preparativos do pessoal do Garantia só não foram maiores que os da noiva. Eles encomendaram na TV Globo sete cabeças iguais às da fantasia que a personagem Cuca, uma bruxa velha com cara de jacaré, usava no programa infantil *Sítio do Picapau Amarelo*. O próprio Marcel Telles, que era um dos padrinhos do noivo, fez questão de bancar as fantasias. No meio do casório sete pessoas vestindo as cabeças de jacaré e gritando "Papai, papai" invadiram a igreja. O grupo era formado tanto por gente do banco, como Alex Abeid, quanto por garotos desconhecidos "recrutados" em frente à capela. A noiva estava perplexa. O padre, furioso, ameaçou suspender o casamento. "Depois de muita confusão a cerimônia terminou, mas na hora dos cumprimentos algemamos os noivos e levamos os dois para o Bar Lagoa, enquanto a festa rolava no Iate Clube", diverte-se Rogério Castro Maia. "Era uma coisa horrorosa, todo casamento era isso..."

Castro Maia tem um repertório quase inesgotável de anedotas sobre o dia a dia do banco. Parte delas ele viu de perto. Outras, escutou durante algum dos almoços de confraternização que organiza periodicamente com ex-sócios do Garantia. Os encontros, sempre realizados no Rio de Janeiro, reúnem normalmente pouco mais de 20 ex--sócios de diferentes gerações. Marcel Telles não perde nenhum deles, Beto Sicupira só foi uma vez e Jorge Paulo Lemann é presença bissexta. O último encontro de ex-sócios do Garantia a que Jorge Paulo compareceu foi em 2010. Por sua sugestão, o almoço foi marcado no Country Club do Rio. "Como o aluguel do espaço custaria 4 mil reais, perguntei para o Jorge se ele ia pagar. Ele respondeu que não, que era para todo mundo rachar", diz Castro Maia, aos risos. Quando acabou o evento, Jorge Paulo deu mais um pitaco. Recomendou a Castro Maia que na edição seguinte um dos antigos economistas do banco fosse convidado a dar uma palestra para o pessoal. "Eu sabia que o Jorge ia querer transformar isso em trabalho...", disse um dos habitués dos encontros quando soube da ideia.

A sugestão de Jorge Paulo Lemann foi devidamente descartada.

De banqueiros
a empresários

Durante muito tempo, Jorge Paulo Lemann analisou à distância a possibilidade de investir em empresas que estivessem subavaliadas e pudessem trazer grandes retornos financeiros depois de passarem por um choque de gestão. Ele adorava o universo financeiro, com sua adrenalina diária e as possibilidades de ganhos extraordinários, mas tinha a sensação de que era preciso colocar algumas fichas também na chamada economia real. Vagarosamente, o Garantia começou a tatear esse novo universo.

Uma das primeiras iniciativas foi a compra de uma fatia de 25% da São Paulo Alpargatas, dona da marca Havaianas, na década de 70. Na mesma época, adquiriu uma pequena participação da varejista Lojas Brasileiras (que anos depois seria vendida ao empresário Bernardo Goldfarb, fundador da Lojas Marisa). Em ambos os casos, como minoritários, os sócios do Garantia tiveram pouca margem para influenciar a administração das companhias. No entanto, puderam ver como uma empresa realmente funcionava por dentro – das ineficiências às oportunidades, da necessidade de investimentos à governança corporativa (ou à falta de governança, como era comum nas empresas brasileiras de então), da relação com investidores ao sistema de remuneração dos executivos. Esse aprendizado era ótimo, mas o pessoal do Garantia achava que havia chegado a hora de colocar a mão na massa. Para isso era preciso ser dono do próprio negócio.

Uma empresa em particular atraía a atenção de Jorge Paulo: a rede de varejo Lojas Americanas. Fundada em Niterói pelos americanos John Lee, Glen Matson, James Marshall e Batson Borge, em 1929, a varejista foi uma das pioneiras do mercado de capitais brasileiro, ao estrear na Bolsa de Valores do Rio de Janeiro em 1940. Quatro décadas depois de sua abertura de capital, a Lojas Americanas havia perdido o brilho. Os fundadores já estavam fora e os números pioravam a cada ano. Seu valor de mercado na época não chegava a 30 milhões de dólares – uma modesta fração dos quase 100 milhões de dólares que a empresa tinha em imóveis. Jorge Paulo fez uma conta simples. A empresa estava tão barata que, mesmo se tudo desse errado com a operação, ainda seria possível ganhar dinheiro com a venda dos imóveis.

O banco ia bem, ganhava muito dinheiro. Jorge Paulo achava que em vez de distribuir dividendos e bônus espetaculares era melhor usar o lucro da instituição para investir em novas frentes. "Pô, vamos fazer esse negócio, vamos ver no que dá", disse ele aos sócios. O banqueiro e Fred Packard começaram então a negociar a compra de papéis da varejista na bolsa e com grandes acionistas, como o investidor Mario Serpa, que detinha quase 10% da companhia.

Beto Sicupira logo notou que ali havia uma grande oportunidade – não só para o banco como para ele próprio – e também abraçou o projeto. Em 1981, o Garantia já detinha participação relevante o suficiente para assegurar um assento no conselho de administração. Beto foi o escolhido. Ele passou a frequentar as reuniões carregando embaixo do braço um caderno de capa vermelha, no qual anotava todas as informações que ouvia e lia. Cruzava os dados das reuniões com outros disponíveis. Conversava com funcionários. Comparava o desempenho da Americanas com o dos concorrentes. Estudava os movimentos do varejo lá fora. Em pouco tempo ninguém sabia com tantos detalhes como funcionava a Lojas Americanas quanto Beto Sicupira.

Para fazer caixa e ter condições de assumir o controle da Americanas, o Garantia vendeu sua participação na São Paulo Alpargatas para a Camargo Correa. "Fiquei dois anos enchendo o saco do Sebastião Camargo (fundador do grupo) para convencê-lo a comprar aquilo", afirma Luiz Cezar Fernandes. Com o dinheiro na mão, Jorge Paulo foi até a sede do Banco Itaú, em São Paulo, para ter uma conversa com o engenheiro Olavo Setúbal, dono da instituição e ex-prefeito de São Paulo. Lá ele explicou que precisava do bloco que o Itaú detinha na Lojas Americanas para assumir o controle da varejista e recolocá-la no prumo. Setúbal, convencido pelo discurso entusiasmado, topou a oferta.

Não era apenas o início da transformação do banqueiro Jorge Paulo Lemann no empresário Jorge Paulo Lemann. Todos os sócios do banco na época, independentemente de estarem envolvidos com o negócio, tiveram a chance de entrar na transação e se tornar donos da Lojas Americanas (quem virou sócio do banco depois da aquisição não ganhou participação na varejista). Jorge Paulo estava mudando o rumo de sua carreira – e levava gente como Beto Sicupira, Marcel Telles e Luiz Cezar Fernandes com ele.

~

Delicadeza no ambiente de trabalho nunca foi o forte de Beto Sicupira. No Garantia se tornaram lendárias as cenas de destempero protagonizadas por ele. "Trator" e "dono da verdade" são algumas das expressões mais usadas por antigos colegas do banco para descrever seu temperamento mercurial. No dia a dia, ele nunca economizou gritos, palavrões e murros na mesa para fazer valer sua opinião. "É mais fácil segurar um louco do que empurrar um burro" é uma de suas frases favoritas.

Com a aquisição da combalida Lojas Americanas pelo Garantia, em 1982, ninguém melhor do que um sujeito com sangue no olho para fazer com que a empresa entrasse nos eixos. Beto chegou à modestíssima sede da Lojas Americanas, na rua Sacadura Cabral, no centro do Rio de Janeiro, munido de um plano minucioso e de uma tremenda vontade de virar aquele negócio. Inicialmente sua remuneração seria muito menor do que a que recebia no Garantia – algo em torno de 10% do salário pago pelo banco.

Ele deixou para trás o dinheiro e os antigos colegas. Chegou à Lojas Americanas praticamente sozinho. De imediato, levou um auditor da antiga Arthur Andersen e o jovem Carlos André de Laurentis (que anos depois se tornaria presidente do site Shoptime). Sua ideia era primeiro conhecer de perto quem estava na companhia, selecionar os que tinham talento e dispensar os demais – uma estratégia repetida depois em praticamente todas as aquisições de empresas feitas pelo trio.

Apesar dos resultados cambaleantes, a antiga administração tinha planos megalomaníacos. O exemplo mais emblemático era o de erguer uma espécie de subsede na Barra da Tijuca, com direito a uma quadra de tênis nos fundos. Cancelar a construção nababesca foi uma das primeiras medidas tomadas por Beto Sicupira. A outra foi chamar à sua sala, um a um, os 50 principais executivos da companhia. Sua impressão não foi das melhores. Muitos nem sequer conseguiam explicar com clareza seus objetivos na varejista. Em poucos meses, 6.500 pessoas, o equivalente a 40% do quadro de funcionários da rede, foram demitidas. "Estávamos grandes demais, inchados, e foi necessário fazer um grande ajustamento", disse ele à época.

Um dos ajustes mais impopulares de Beto Sicupira foi no sistema de remuneração variável dos executivos. As metas estabelecidas eram tão fáceis que, mesmo com a piora do desempenho da empresa nos últimos anos, os bônus continuavam a ser distribuídos. Como? Um dos mecanismos mais "criativos" utilizados nos balanços foi fazer o cálculo da correção monetária apenas no lado do ativo, enquanto o valor do passivo não era submetido a esses reajustes – uma distorção capaz de colocar qualquer acionista sério de cabelo em pé.

Beto acabou com os truques e implementou um sistema de remuneração variável mais duro e agressivo, inspirado no Garantia. O pessoal chiou. Seis meses depois da chegada do novo controlador, um grupo de 35 executivos pediu uma reunião com Beto para pleitear que o sistema antigo de remuneração voltasse. O empresário, sem esconder a irritação, disse que avaliaria o caso. Quando o encontro terminou, três pessoas desse grupo foram conversar com o novo chefe para dizer que não concordavam com o pleito dos demais. Os outros 32 saíram para almoçar, confiantes de que haviam obtido uma vitória. Beto, furioso com o comportamento dos executivos que fizeram a reclamação, determinou à área de recursos humanos que todos deveriam ser imediatamente demitidos – o grupo não pôde nem entrar no prédio quando retornou do almoço (indignados com o tratamento, alguns deles entraram com ações trabalhistas contra a varejista).

Beto Sicupira chamava a atenção pelo estilo implacável e também pela informalidade. Seu uniforme habitual era calça jeans, camiseta, tênis e mochila nas costas. Dividia uma sala com outros diretores em vez de ficar isolado em seu próprio feudo. Circulava por toda a empresa e visitava lojas regularmente. Como sempre evitou aparecer na imprensa e se vestia como um funcionário comum, muitas vezes não era reconhecido pelos empregados. Tornou-se lendária a ocasião em que um funcionário que descarregava um caminhão cheio de pacotes de fraldas pediu ajuda a um colega que passava perto, sem saber quem ele era. Beto Sicupira, o "colega" em questão, não pensou duas vezes: arregaçou as mangas e ajudou a levar a mercadoria para dentro da loja.

O jeitão informal e um tanto truculento de Beto Sicupira trouxe resultados rapidamente. O Garantia havia desembolsado 24 milhões de dólares para adquirir 70% da varejista. Seis meses depois da compra, com a melhora da operação, conseguiu atrair investidores dispostos a gastar 20 milhões de dólares por uma fatia de apenas 20% da empresa.

~

Pouco antes de assumir o comando da Lojas Americanas, quando estava ainda no conselho de administração, Sicupira enviou 10 cartas para alguns dos maiores varejistas do mundo. A mensagem era a mesma: ele se apresentava e pedia para conhecer de perto a operação de cada empresa. Seu objetivo era aprender com os líderes e depois adotar as melhores ideias. Por que perder tempo reinventando a roda se era possível copiar o que havia de mais avançado no mundo? Dois destinatários jamais responderam. Outros dois educadamente informaram que não poderiam recebê-lo. Cinco companhias, entre elas Kmart e Bloomingdale's, mandaram cartas convidando o brasileiro a conhecer suas sedes. O presidente de uma das companhias procuradas por Beto Sicupira foi além. Telefonou diretamente para o remetente. Disse que o receberia com prazer e que lhe mostraria em detalhes o funcionamento da empresa, uma rede que ele próprio fundara no estado americano do Arkansas, em 1962. Seu nome era Sam Walton e a empresa que ele comandava se chamava Walmart.

O Walmart desempenhou para a Lojas Americanas o mesmo papel que o Goldman Sachs teve para o Garantia – era o modelo a ser copiado, a maior fonte de inspiração. Sam Walton tinha 44 anos e um bocado de experiência em varejo quando abriu a primeira loja Walmart em Rogers, uma cidadezinha no Meio Oeste americano à época com menos de 6 mil habitantes. Desde o começo ele decidiu que preço baixo seria o motor de sua empresa. Num setor de margens espremidas como o varejo, isso implicava um controle quase doentio sobre os custos.

Em sua autobiografia, *Made in America*, Walton escreveu que as primeiras lojas – espaços amplos e extremamente simples, com produtos empilhados por todos os lados – eram tão precárias que numa delas as roupas à venda eram penduradas em canos de conduíte em vez de expostas nas araras tradicionais. Espremer os fornecedores para conseguir os menores preços era também uma prática recorrente. O fundador fazia de tudo nas lojas: controlava estoques, orientava funcionários, conversava com clientes, buscava pessoalmente novos fornecedores e sempre visitava pontos de venda de concorrentes. Jamais fez o estilo do sujeito encastelado em seu escritório. Boa parte de seu tempo era gasta procurando gente capaz de ajudá-lo a tocar a empresa. Com o crescimento do Walmart, começou a distribuir planos de ações entre seus melhores funcionários.

Quando Beto Sicupira e Jorge Paulo Lemann desembarcaram em Bentonville, sede do Walmart, em 1982, encontraram uma empresa infinitamente maior que a lojinha mambembe inaugurada por Sam Walton em Rogers. Os anos 70 foram gloriosos para o Walmart. No início daquela década a rede somava 32 lojas e receitas de 31 milhões de dólares. Em 1980, o número havia nonuplicado – totalizava 276 pontos de venda – e o faturamento cresceu quase 40 vezes, alcançando 1,2 bilhão de dólares. O dono do Walmart já era um dos homens mais ricos dos Estados Unidos (em 1985, viria a alcançar o topo da lista publicada pela revista *Forbes*). "Como em quase todos os casos de sucesso instantâneo, levou uns 20 anos para acontecer", afirmou o empreendedor, com bom humor, em sua autobiografia. Assim que os brasileiros desceram do avião turboélice no pequeno aeroporto local e perceberam que o homem com boné na cabeça, sentado numa velha picape com cachorros e rifles de caça na caçamba, era o próprio Sam Walton, ficaram agradavelmente surpresos. Uma empresa poderosa e um estilo de vida simples eram justamente o que eles também gostariam de ter.

Com tanto em comum, não é de estranhar que Jorge Paulo, Beto e Walton tenham se tornado amigos. Com o primeiro, o fundador do

Walmart formava uma dupla imbatível para arrasar adversários nas quadras de tênis. Beto, por sua vez, era a companhia perfeita para conhecer o mercado e visitar lojas da concorrência. Os brasileiros não poderiam ter encontrado um professor melhor para ensiná-los a operar no mundo do varejo. A convivência tornou-se tão próxima que em duas ocasiões o fundador do Walmart veio até o Brasil. Numa delas, enquanto visitava uma loja do Carrefour no Rio de Janeiro com Beto, foi preso por "espionagem industrial" – os seguranças da loja acharam muito estranho aquele gringo que tirava fotografias, media o tamanho das gôndolas com uma trena e anotava o sortimento de produtos. Jorge Paulo teve que telefonar para o presidente do Carrefour no Brasil (a empresa era cliente do banco) para pedir que a dupla de infratores fosse liberada.

Assim como seus amigos brasileiros, Walton era um workaholic – e quem trabalhava com ele deveria seguir o mesmo ritmo. Nas manhãs de sábado ele se reunia com os gerentes da rede para avaliar o resultado da semana e planejar o que seria feito dali para a frente. Sam Walton não media as palavras quando achava que era preciso enquadrar alguém (na autobiografia do empreendedor, um dos seus subordinados revelou que numa ocasião o chefe lhe disse na frente de todo o grupo que era melhor ele pensar antes de abrir a boca). Em meados da década de 80, numa dessas reuniões, Walton propôs um desafio aos seus executivos: se a margem de lucro da companhia antes dos impostos fosse maior que 8% (a média do setor era metade desse índice), ele dançaria hula-hula em Wall Street. A companhia bateu a meta e o empresário se viu obrigado a pagar a aposta. O circo foi armado em frente à sede do Merrill Lynch, no dia 15 de março de 1984. Aos 65 anos, devidamente fantasiado – saia de ráfia, colar de flores e arranjo na cabeça –, Walton requebrou desajeitadamente ao som de música havaiana acompanhado por três dançarinas. Longe de ser um exibicionista, ele teve de vencer a timidez para levar adiante sua estratégia de motivação do pessoal. Walton não dançou para aparecer em fotos de jornais e revistas – embora, involuntariamente, isso tenha acontecido. Ele dançou para provar aos seus "associados", como os funcionários do Walmart são chamados, que faria tudo para ver a companhia crescer. "Eu aprendi muito tempo atrás que exercitar seu ego em público não é a melhor maneira de construir uma organização eficiente", afirmou Walton.

Alguns anos depois, Beto Sicupira copiou a tática do mentor na Lojas Americanas. Prometeu dançar vestido de odalisca se a companhia atingisse uma margem EBITDA (lucro antes de impostos, juros, amortização e depreciação) de 6%. Assim como no caso de Walton, a provocação de Beto deu certo. No final daquele ano, quando viu os resultados da companhia, ele percebeu que teria de cumprir a promessa. Num dia ensolarado de dezembro, a Praça Mauá, no centro do Rio de Janeiro, foi tomada pela bateria da escola de samba Beija-Flor. Em frente aos percussionistas e acompanhado por algumas passistas, um sujeito esguio e desengonçado, vestido de odalisca, tentava sem muito sucesso acompanhar o ritmo.

Beto Sicupira na Praça Mauá e Sam Walton em Wall Street demonstraram publicamente que, como dançarinos, eram ótimos empresários.

~

Na Lojas Americanas, Beto Sicupira sempre foi paranoico com controle de despesas. Costumava dizer que "custo é como unha, tem que cortar sempre". Sua outra obsessão era identificar novas oportunidades de ganhos que poderiam surgir no negócio – de preferência, que exigissem baixos investimentos. Foi assim, por exemplo, que nasceu a São Carlos Empreendimentos Imobiliários, em 1989. A Lojas Americanas tinha então 50 pontos de venda próprios. Beto enxergou ali duas coisas. A primeira, que as ações da varejista não eram mais bem avaliadas por causa dos imóveis. A segunda, que as lojas mascaravam a real rentabilidade da empresa, porque a dispensavam do pagamento de aluguel. Foi então que sugeriu um novo formato. A empresa devia fazer uma cisão das duas atividades – a varejista e a imobiliária. Para ele, essas áreas teriam mais sucesso se fossem independentes do que atuando juntas.

Naquela época, administração imobiliária era um mercado pequeno e tipicamente familiar. A São Carlos cresceu sob o radar, enfrentando pouca concorrência. Foi só com o recente boom imobiliário brasileiro que a companhia ganhou popularidade. Em 2013 tinha um portfólio de 3,5 bilhões de reais – dos quais menos de 10% são pontos de venda da Lojas Americanas – e valia em bolsa algo em torno de 2,8 bilhões de reais. Um retorno e tanto para um negócio que nasceu sem exigir um tostão de investimento.

~

Durante anos, o braço direito de Beto Sicupira na Lojas Americanas foi o paulista José Paulo Amaral. Os dois haviam sido apresentados em um almoço no início dos anos 80 por André De Botton, um carioca de maneiras aristocráticas cuja família controlava a Mesbla, então uma poderosa rede de lojas de departamentos. Amaral era na época o diretor superintendente da Mesbla, e De Botton vinha preparando o executivo para eventualmente substituí-lo no comando da companhia. Depois daquele primeiro encontro, Amaral e Beto logo começaram a praticar esportes juntos. Corriam, andavam de bicicleta, mergulhavam. Tornaram-se amigos.

Numa conversa entre os dois na casa de praia de Beto em Cabo Frio, no litoral fluminense, Amaral comentou que adorava trabalhar na Mesbla, mas havia um detalhe que o incomodava. A empresa, fundada em 1924, mantinha o controle familiar, e nenhum funcionário, por melhor que fosse seu desempenho, tinha a chance de ganhar uma participação acionária. Beto entendeu o recado e gostou do que ouviu. Havia só um cuidado a tomar: o comandante da Lojas Americanas não queria se indispor com André de Botton. Amaral sugeriu então estabelecer uma espécie de quarentena voluntária entre sua saída da Mesbla e o ingresso na varejista do Garantia. Pediu demissão e se dedicou a colocar em pé uma pequena operação de outlets, chamada Mais por Menos. "O investimento inicial foi de 1 milhão de dólares, e metade disso foi financiada pelo Garantia", diz o ex-executivo, que divide seu tempo entre o Rio de Janeiro, onde mora, e o estado de Mato Grosso do Sul, onde tem uma fazenda.

Menos de um ano depois de aberta a primeira loja, localizada na avenida Santo Amaro, em São Paulo, a Mais por Menos foi comprada pela empresa comandada por Beto Sicupira. "Eu recebi ações da Lojas Americanas e a Lojas Americanas ficou dona da Mais por Menos", lembra o executivo. Pela primeira vez na vida, José Paulo Amaral era acionista da empresa onde iria trabalhar – e ele estava adorando aquela ideia.

Amaral começou a dar expediente como diretor-superintendente na Lojas Americanas em dezembro de 1985. Logo notou que seria necessário deixar para trás o visual sisudo adotado quando trabalhava na Mesbla. "Ele chegou de terno inglês, cabelo gomalizado, sapato de cromo alemão", diz um ex-executivo da Lojas Americanas. "No dia seguinte já estava de calça jeans e tênis." Precisou se acostumar também a não ter uma sala, secretária particular, carro fornecido pela empresa – mordomias disponíveis no antigo emprego, mas que estavam fora de cogitação na cultura da escola Garantia. Ele não se importou. Sua única preocupação era fazer a Lojas Americanas crescer (afinal, era um dos acionistas). Amaral se recorda do início:

"Quando o Garantia comprou a Americanas, a empresa ia de mal a pior. Beto via que existia a possibilidade de virar aquilo, mas era preciso

agir duramente. Quem o conhece sabe que o radicalismo mora ali. Ele, na época mais jovem, mais durão, estava levando uma disciplina enorme para dentro da companhia, cortando despesas... Quando eu cheguei lá ele ainda estava em plena ebulição, mandando gente embora, contratando outros e armando uma revolução... Aprendi muito com ele."

Por alguns anos a convivência entre os dois foi ótima. Ao longo da semana trabalhavam como loucos para fazer da Lojas Americanas uma máquina de ganhar dinheiro. Aos sábados e domingos era comum que pescassem juntos – em Cabo Frio ou Angra dos Reis, onde Beto e Amaral tinham casa de veraneio. A amizade se estreitou a ponto de Beto convidar Amaral para ser padrinho de sua segunda filha, Helena. Onze anos depois de sua chegada à Americanas, Amaral deixaria a empresa num episódio conturbado, que colocaria um ponto final também em seu relacionamento pessoal com Sicupira.

~

Com o Plano Real, em 1994, e o consequente fim da inflação, uma série de companhias brasileiras foi exposta a uma nova realidade. Por muito tempo, ter um departamento financeiro afinado, capaz de movimentar o dinheiro da companhia de modo a ganhar com a exorbitante escalada de preços, era uma tremenda vantagem competitiva. A estabilização da economia acabou com a possibilidade desses ganhos financeiros. Agora as empresas precisariam ser eficientes em seu próprio ramo de atividade – e não mais atuar como financeiras disfarçadas.

No setor de varejo, habituado a anos de remarcações às vezes diárias, o baque foi imediato. Para a Lojas Americanas, que carregava em seu DNA a origem de banco, o tombo foi mais severo. No primeiro trimestre de 1996, depois de quatro anos de lucros consecutivos, a rede controlada pelo Garantia registrou prejuízo (o sinal amarelo já

fora aceso no ano anterior, quando o lucro ficara abaixo do esperado pela administração). Parte dos problemas estava concentrada em
deficiências de tecnologia e logística. Outra parte se devia a uma associação feita com o Walmart, em 1994, para trazer ao país a varejista
fundada por Sam Walton.

A parceria com a rede do Arkansas foi uma daquelas ideias que pa-
recem fazer todo o sentido no papel, mas que fracassam quando colocadas em prática. As duas empresas eram velhas conhecidas, tinham
culturas parecidas e compartilhavam a mesma ambição de crescer.
Seus comandantes eram amigos. A Lojas Americanas era então a líder do varejo brasileiro. Nada melhor que trazer para o Brasil a maior
rede do mundo e acelerar ainda mais sua expansão. O acordo entre as
duas partes previa que o Walmart teria 60% da nova empresa criada
no Brasil e que à Americanas caberia o restante. Quando o negócio foi
anunciado, a concorrência tremeu.

Contra todas as expectativas, deu tudo errado. Como o Walmart
nada sabia sobre os hábitos de consumo dos brasileiros, simplesmente reproduziu aqui o que fazia nos Estados Unidos – o que significava,
por exemplo, vender bolsas para tacos de golfe, tilápias vivas e cole-
tes salva-vidas em suas lojas. A Lojas Americanas, minoritária, pouco
conseguia apitar sobre o destino da operação. "O pessoal do Walmart
falava que a receita deles funcionava nos Estados Unidos e que funcionaria aqui também", lembra José Paulo Amaral. "Na inauguração
do Supercenter de Osasco (na Grande São Paulo), avisamos que era
preciso colocar etiqueta eletrônica para evitar furtos, mas eles não
ouviram. Foi uma festa para os bandidos. Roubaram barbeador, roupa, camisa, tudo."

O papel dos brasileiros no negócio ficou praticamente reduzido a ajudar a financiar sua expansão. O problema é que a brincadeira saía caro – pelo menos para o bolso da Americanas, muito
menor que o do Walmart. Entre continuar a injetar dinheiro numa

companhia onde não podia ditar as regras e sair do negócio, a Americanas ficou com a segunda opção. Três anos depois da assinatura do acordo, a varejista brasileira vendeu sua participação ao Walmart. Beto Sicupira e seus sócios foram forçados a abrir mão do sonho de se associar à maior varejista do mundo para preservar o caixa da Americanas – uma decisão da qual jamais se arrependeram. Sem os sócios locais, a operação brasileira do Walmart levou quase uma década para finalmente entrar nos eixos.

Quando a separação do Walmart foi formalizada, Beto Sicupira já estava afastado do dia a dia da Lojas Americanas. Em 1993 ele havia deixado o posto de principal executivo da companhia para se dedicar à formação da GP Investimentos, o primeiro fundo de private equity do Brasil (o empresário permaneceu como presidente do conselho da varejista). Desde então, o comando da Lojas Americanas passou para as mãos de José Paulo Amaral. Para Beto, depois de uma gestão que já completava quase cinco anos, era o momento de fazer uma nova sucessão na companhia – e assim dar oportunidade para que os mais jovens ascendessem. Sua ideia era fazer de Amaral sócio da GP Investimentos, onde a experiência do paulista como executivo poderia ser bem aproveitada.

A lógica seria perfeita se Amaral estivesse de acordo com o plano – o que não era o caso. Para o executivo, sair da administração direta de uma grande companhia e se enfiar num fundo de investimentos representava o primeiro passo para a aposentadoria. Ele queria continuar mergulhado em uma operação em vez de acompanhar à distância o desempenho de um punhado de empresas.

O impasse em relação ao futuro de Amaral foi o primeiro elemento a minar a relação entre os dois amigos. O outro foi definir quem substituiria Amaral no futuro. O candidato de Beto Sicupira era Fersen Lambranho, um carioca formado em engenharia pela Universidade Federal do Rio de Janeiro e com mestrado em administração no

Coppead. Ele havia ingressado na Lojas Americanas aos 24 anos, no mesmo mês em que Amaral começou a dar expediente. Amaral tinha outra preferência, o também engenheiro Luiz Meisler, responsável pela área de tecnologia da varejista (que se tornou vice-presidente executivo para a América Latina da Oracle).

A personalidade de Fersen, como é conhecido, lembrava em muitos aspectos a de Beto Sicupira: "mão na massa", incansável, truculento, ambicioso. Como responsável pela área financeira da Americanas, ele teve chance de fazer uma espécie de estágio no Garantia, o que lhe rendeu uma imersão valiosa na cultura do banco (por causa dessa proximidade, Fersen é a única pessoa que não trabalhou no Garantia a ser convidada para os almoços de confraternização entre os ex-sócios promovidos por Rogério Castro Maia). "O Beto foi 100% decisivo na minha formação", diz Fersen.

Amaral e o pupilo de Beto tinham visões muito diferentes de como a companhia devia ser administrada. Nenhum deles escondia o conflito. Numa ocasião, aproveitando que Amaral estava em viagem, Fersen procurou Beto para falar sobre a necessidade de investir na área de logística, de modo a tornar a empresa mais eficiente. O chefe lhe deu carta branca e o jovem contratou a consultoria McKinsey por 1 milhão de dólares para redesenhar a operação. Quando soube da contratação, feita à sua revelia, Amaral esbravejou. "Ele me chamou no canto e falou que ia pagar pelo projeto, mas que era bom eu saber que aquilo não ia andar", diz Fersen. "Por atrasos como esse, a companhia perdeu muito tempo até conseguir se adaptar ao fim da inflação."

A situação ficou insustentável. Durante uma reunião do conselho da Lojas Americanas com Beto, Marcel Telles e Jorge Paulo Lemann, Amaral deu um ultimato. "Eu disse que havíamos chegado a um impasse, porque eu não conseguia convencer o Beto de que não queria ir para a GP nem que o Fersen era a pessoa errada para assumir a Americanas", lembra o executivo. A reação de Jorge Paulo foi típica de alguém que evita a todo custo entrar em conflito. Ele olhou para Beto e Amaral e falou: "Vocês são compadres, vocês decidem." Por alguns segundos a sala ficou em silêncio. Depois de pensar um pouco, Beto disse que Amaral iria para a GP. "Não. Eu vou embora", encerrou o executivo. O anúncio, aparentemente intempestivo, pegou o trio de surpresa. O que os empresários não sabiam é que Amaral já tinha um novo trabalho engatilhado.

A formação do triunvirato

Em 1980 o Garantia somava 17 sócios. Seis deles – Jorge Paulo Lemann, Hercias Lutterbach, Marcel Telles, Beto Sicupira, Fred Packard e Luiz Cezar Fernandes – faziam parte do comitê executivo, uma espécie de núcleo duro que definia as principais diretrizes da instituição. Ao longo dos anos, Marcel e Beto, os mais jovens do grupo, construíram uma relação com Jorge Paulo que ia além da afinidade profissional. Marcel aprendeu pesca submarina e, assim como Beto, começou a praticar o esporte com Lemann nos fins de semana (comentava-se maldosamente no banco que para ascender era preciso pescar com o "chefe"). Jorge Paulo apreciava a dupla não apenas pela companhia nas pescarias, mas pelos resultados que trazia para o Garantia. Naquele início de década eram eles que cuidavam dos principais negócios do grupo. Beto Sicupira era o rolo compressor à frente da virada na Lojas Americanas. Marcel Telles, o homem que comandava a mesa de operações do banco, o coração e a grande fonte de receitas da instituição. Quem trabalhou com Marcel diz que ele era um sujeito duro e justo. Nunca foi dado a gritarias, mas não deixava de repreender um funcionário se julgasse necessário. Clóvis Macedo lembra de uma ocasião em que levou uma "chamada" do chefe:

"Eu estava inseguro em tomar uma decisão de investimento e achei melhor esperar. Marcel, quando percebeu a situação, me disse que até

relógio parado acerta a hora duas vezes por dia. Ou seja, ele deixou claro que continuar imóvel não era uma estratégia aceitável... *Para bom entendedor, meia palavra do Marcel, um olhar bastava... Num dia típico ele sentava à mesa, botava os dois pés em cima e abria o jornal. A gente brincava que o jornal estava de cabeça para baixo, que ele não lia coisa nenhuma. Quando alguém falava alguma barbaridade, ele baixava o jornal, olhava para o fulano que tinha dito besteira e voltava a ler de novo. Aquilo era um pavor para a gente, era um medo que ele botava em todo mundo."*

Cada qual com seu estilo, Marcel e Beto cresciam como ninguém mais no grupo. Apesar disso, um sócio antigo ainda detinha uma participação acionária maior que a deles. Luiz Cezar Fernandes, o velho conhecido de Jorge Paulo dos tempos da corretora Libra, havia se transformado em um obstáculo ao avanço dos jovens. "Houve um tempo em que Beto e Marcel chegaram a se 'estranhar' no banco", diz um antigo sócio, sob condição de anonimato. "O Cezar foi uma espécie de inimigo comum que acabou unindo os dois."

Fernandes não tinha uma educação formal de primeira linha como Beto e Marcel. Ao contrário dos dois jovens que adoravam praticar esportes, era um sedentário convicto. Ele bem que tentou aprender pesca submarina, mas não se adaptou. Numa ocasião Jorge Paulo o convidou para pescarem nas Cagarras, um conjunto de sete ilhotas a cinco quilômetros da praia de Ipanema. Fernandes enjoou no mar e nunca mais repetiu a dose. Depois de tanto tempo no Garantia, ele havia acumulado um patrimônio considerável e começava a desacelerar o ritmo de trabalho. Nessa disputa por espaço, pouco a pouco Fernandes perdia terreno – e não gostava nem um pouco daquela situação. Durante uma longa entrevista concedida numa tarde quente de fevereiro de 2012, no Rio de Janeiro, ele falou sobre o assunto enquanto fumava seu inseparável cachimbo:

"Dava para perceber que os três (Jorge Paulo, Marcel e Beto) estavam muito unidos e isso me incomodou um pouco. Não sei se por ciúme ou sei lá o quê. Talvez 'complexo de vira-lata', como dizia o Nelson Rodrigues. Não estava bom pra mim, não estava confortável, embora eu fosse o segundo maior acionista do banco, com 10% de participação... Eu tinha uma divergência principalmente com o Beto. Achava que a gente tinha que mudar um pouco a atuação, entrar na área de asset management (gestão de recursos de terceiros) e ele discordava..."

Com tanto em jogo, não foi fácil tomar a decisão de sair do Garantia. Em setembro de 1982, Fernandes tirou uma licença de três meses. Antes, alertou Jorge Paulo de que talvez não voltasse. Ele aproveitou a folga para realizar um sonho antigo: ir a uma reunião do Fundo Monetário Internacional. "Eu nunca tinha conseguido porque o Jorge era radicalmente contra, achava que ali tinha um bando de babacas", diz ele. Na reunião do FMI encontrou dois conhecidos do mercado: o economista Paulo Guedes e Renato Bronfman. Começaram ali mesmo a conversar sobre um possível novo negócio. Logo um quarto nome se juntou ao grupo, o do também economista André Jakurski. Em janeiro do ano seguinte, Fernandes avisou a Lemann que iria montar uma distribuidora de títulos e valores mobiliários. Em 1983, com um capital de 200 mil dólares, nascia o Banco Pactual – o nome reúne as iniciais dos três maiores sócios, Paulo, André e Cezar (como Fernandes é conhecido no mercado). O Garantia recomprou as ações de Fernandes para que elas fossem distribuídas entre os sócios – principalmente os jovens. A partir daquele momento, Beto Sicupira e Marcel Telles formaram com Lemann um triunvirato que nunca mais seria ameaçado.

~

Marcel Telles e Beto Sicupira chegaram ao antigo Garantia na década de 70. Praticamente todo esse tempo a dupla viveu em sociedade com Jorge Paulo Lemann – primeiro com participações muito pequenas e aos poucos ganhando cada vez mais espaço. Manter uma parceria tão duradoura é uma das grandes chaves do sucesso desses empresários. Como eles conseguiram isso?

Desde o início os papéis ficaram claramente estabelecidos. No Garantia, Jorge Paulo sempre foi o estrategista; Marcel, o chefe da mesa, e Beto, o homem dos novos negócios. Embora boa parte dos funcionários se referisse a Jorge Paulo como o "patrão", pois ele sempre foi o maior acionista, Marcel e Beto tinham autonomia. Um não interferia no trabalho do outro, ainda que eles trocassem ideias e opiniões. Em todas as iniciativas que vieram depois do Garantia – Lojas Americanas, Brahma, Burger King etc. – essa mesma receita foi mantida. Quem é o "dono" de um negócio toma as decisões e assume os riscos. "Eles provavelmente já engoliram muito sapo uns dos outros, mas nunca deixaram que isso abalasse a sociedade", diz uma pessoa próxima ao trio. Para o empresário Jorge Gerdau Johannpeter, presidente do conselho da gaúcha Gerdau e que os conhece desde a década de 80, os três logo perceberam que trabalhar juntos seria uma fórmula de sucesso. "Cada um tem um perfil diferente, mas eles reconhecem que essa é uma das forças do triunvirato. Eles se complementam. Separados provavelmente não teriam chegado aonde chegaram", opina Gerdau.

Essa afinidade tem como base uma série de valores comuns. Uma conversa com Jorge Paulo, Beto ou Marcel sempre será pontuada pelas mesmas referências. Os três acreditam que, para ser vencedora, uma empresa deve recrutar gente boa, preservar a meritocracia e dividir o sucesso com os melhores. Todos valorizam a simplicidade e não dão a menor bola para hierarquia. Estão mais preocupados em construir empresas duradouras do que em aparecer em listas dos empresários mais ricos do mundo. Eles podem ter estilos diferentes – um antigo sócio do Garantia que mantém contato com o trio diz que, no trato pessoal, Beto é durão, Marcel é "soft" e Jorge Paulo é "soft, soft,

soft" – , mas, no conteúdo, seus discursos são praticamente os mesmos. Anos atrás Marcel resumiu o segredo dessa convivência: "A gente sempre teve um sonho em comum... E sempre respeitou quem está tocando um negócio... Deixamos o cara ir em frente. É claro que está implícito que, se o barco afundar, ele afunda junto..."

Para o megainvestidor Warren Buffett, ele próprio protagonista de uma longeva sociedade com o advogado Charlie Munger na Berkshire Hathaway, há mais um fator importante na perpetuação da parceria entre os brasileiros. O trio, segundo ele, conseguiu escapar das batalhas de egos, armadilhas comuns em que caem muitos homens de negócios.

"Você não pode competir com seu sócio, não pode se importar com quem levará o crédito por um negócio. A ideia de que um tem que ganhar não funciona em nenhum relacionamento – sociedade ou casamento. Ninguém desse grupo de brasileiros busca o crédito para si. Ao contrário. O sucesso da AB InBev, por exemplo, Jorge Paulo diz que é mérito do [Carlos] Brito e de sua equipe. Isso não é comum por aí. Algum tempo atrás o ex-executivo Michael Eisner escreveu um livro sobre sociedades bem-sucedidas [Working Together – Why Great Partnerships Succeed] *e teve dificuldade em encontrar 10 casos que realmente funcionaram [um dos exemplos do livro é justamente o relacionamento entre Buffett e Munger]... Para muita gente a graça está em aparecer e ter o reconhecimento. São pessoas que pensam: qual a vantagem de estar no topo se não há ninguém embaixo? Jorge Paulo e seus sócios são o oposto disso."*

A confiança entre eles é tamanha que o trio só redigiu um acordo de acionistas no início dos anos 2000 – em grande medida para preservar as relações futuras entre seus herdeiros. Estabelecer as regras que vão reger a próxima geração de sócios, aliás, tem sido uma preocupação. Somados, os três empresários tiveram 11 filhos.

Jorge Paulo Lemann casou-se duas vezes. A primeira delas, em 1966, com Maria de San Tiago Dantas Quental, conhecida como Tote, uma psicanalista bonita e elegante da alta sociedade carioca. Com ela teve três filhos: Anna Victoria, Paulo e Jorge Felipe. Em 1986 os dois se separaram (Tote faleceu em 2005, vítima de câncer). Como pelas regras criadas por Jorge Paulo nenhum dos seus filhos pode trabalhar em empresas controladas pelo pai, Paulo e Jorge Felipe (conhecido como Pipo) decidiram trilhar o mercado financeiro por conta própria. Paulo é dono da gestora de recursos Pollux; Pipo vendeu sua corretora, a Flow, para o banco Plural em 2012 (ele permaneceu como sócio do Plural). Anna Victoria nunca se animou com o mundo das finanças e preferiu estudar psicologia.

Cinco anos depois de sua separação, Jorge Paulo se casou com Susanna. Natural de Zurique, ela fora contratada pela Escola Suíço-Brasileira do Rio de Janeiro para trabalhar como professora. Sem conhecer quase ninguém no país, logo que chegou ao Brasil a moça procurou Jorge Paulo – um primo dele que morava na mesma cidade de Susanna lhe dera o telefone do banqueiro. Jorge Paulo se encantou com ela. Assim como ele, a suíça levava vida de atleta: corria, andava de bicicleta, acordava e dormia cedo. Ela gostava de viagens a lugares remotos e, de preferência, onde pudesse praticar algum esporte (anos depois Susanna abriria a agência de turismo Matueté). O casamento gerou três filhos: Marc, Lara e Kim. Em 2013 Jorge Paulo já tinha oito netos.

Marcel Telles, por sua vez, é pai de dois meninos – Christian e Max –, fruto de seu segundo casamento, com Bianka, terminado em 2009. No final de 2012, o empresário se casou com Fabrizzia Gouveia, sua amiga há mais de três décadas. Seus filhos sabem que jamais poderão trabalhar nas empresas do pai. Dar a notícia para os garotos não foi fácil. Anos atrás, quando ia fazer um curso em Harvard, Marcel decidiu levar Christian para acompanhá-lo na viagem. O menino, então com 11 anos, ficou encantado com o que viu na universidade americana e com o que ouviu sobre a Ambev. Disse que seria muito legal trabalhar na cervejaria no futuro. Foi então que Marcel contou ao garoto que, pelas regras da sociedade, isso jamais aconteceria. O máximo que a cartilha deles permite é que os filhos passem um ano como trainees e depois deixem a empresa. Decepcionado, o menino escutou o pai e ficou calado. "Quantos (Carlos) Britos e João Castro Neves (diretor-geral da Ambev) existiriam na companhia se pudessem entrar familiares? A gente olha por ano 70 mil candidatos a trainee. Será que a minha genética é tão forte que eu vou criar um filho que é um em 70 mil? Não só não acredito nesses milagres da genética, como eu acho que a nossa cultura desapareceria", disse Marcel certa vez sobre essa política.

O único do trio que se casou apenas uma vez foi Beto Sicupira. Desde 1979 sua esposa é Cecília de Paula Machado, membro da tradicionalíssima família Guinle de Paula Machado. Os negócios do clã de Cecília eram muitos e de ramos variados – da construção e exploração do Porto de Santos à criação da Companhia Siderúrgica Nacional e do hotel Copacabana Palace. Com o passar dos anos, os Guinle de Paula Machado tiveram que vender todos os seus empreendimentos – o último foi o Banco Boavista, em 1997. Com a esposa, Beto teve três filhas: Cecília, Helena e Heloísa.

Embora não participem do dia a dia das empresas de seus pais, os filhos de Jorge Paulo, Marcel e Beto estão sendo preparados para assumir o papel de herdeiros. O treinamento começou cedo e inclui uma série de atividades. Todas as mulheres já assistiram a aulas de contabilidade. Os filhos mais jovens aprendem lições de como lidar com dinheiro e depois levam a teoria para a vida real – com a ajuda do economista Dany Rappaport eles gerem um pequeno fundo de investimentos. Uma vez ao ano, todos os membros das três famílias se reúnem durante um fim de semana. Os encontros, claro, não são apenas para que os herdeiros se conheçam melhor. Roberto Setúbal, presidente do Itaú Unibanco, e Jorge Gerdau, por exemplo, já foram convidados a participar dessas reuniões para falar de sua vivência em empresas familiares. O pessoal mais jovem também é encorajado a contar o que anda fazendo. Na edição de 2011, Heloísa Sicupira relatou como foi a experiência de ser trainee da Ambev naquele ano – como qualquer outro participante do programa, ela não foi poupada nem de carregar caixas de cerveja. A única diferença no tratamento é que os familiares são dispensados de passar pelo funil da seleção.

Os herdeiros começam também a tomar espaço nos conselhos de administração. Paulo Alberto Lemann, por exemplo, ingressou nos conselhos da Ambev e da Lojas Americanas. Em 2014 ele vai para a AB InBev, substituindo o pai (Jorge Paulo tem ainda direito a um segundo lugar no conselho, hoje ocupado por Roberto Thompson). Jorge Felipe está no conselho da São Carlos e da B2W, a empresa de comércio eletrônico controlada pela Lojas Americanas. Cecília Sicupira Giusti é conselheira da Lojas Americanas e uma das suplentes da São Carlos.

Com toda essa preparação, os empresários esperam que os herdeiros perpetuem os negócios erguidos pelos pais. O patrimônio do trio é dividido entre os acionistas em proporções que variam em cada uma das empresas investidas. Na AB InBev, por exemplo, eles possuem juntos 18,62%. Lemann detém 10,31% do capital total (suas ações são repartidas igualmente entre suas duas famílias), enquanto Marcel tem 4,6% e Beto, 3,71%. Na varejista Lojas Americanas, Jorge Paulo detém 19,89% das ações, Beto tem 14,67% e Marcel, 9,43%, num total de 43,99%. É apenas na São Carlos que Marcel e Beto têm participações iguais – cada um com 16,86%. Jorge Paulo é dono de 20,13%. Somadas, as participações dos três alcançam 53,85% do capital da empresa.

"Nosso investimento vale mais como bloco do que picotado", disse Jorge Paulo tempos atrás. "Todo esse treinamento é uma maneira de eles (os herdeiros) ficarem juntos, terem orgulho daquilo e defenderem o patrimônio."

A costela do Garantia

Se para Marcel Telles e Beto Sicupira a saída de Luiz Cezar Fernandes do Garantia representava a formação definitiva do triunvirato com Jorge Paulo Lemann, para Fernandes a mudança significava a oportunidade de criar, do zero, uma instituição como ele sempre quis. Ao lado dos novos sócios ele poderia aproveitar sua experiência para desenvolver o seu próprio "sonho grande". Ele tinha à sua frente uma miríade de possibilidades. Sua escolha foi copiar a cultura do Garantia.

Como controlador do Pactual, Fernandes levou para o novo banco tudo o que aprendera com Jorge Paulo Lemann. Meritocracia, *partnership*, ambiente competitivo, avaliações semestrais, bônus agressivos, tudo isso foi adotado na nova instituição – um modelo que seria perpetuado no Pactual até a sua venda, em 2006, para o suíço UBS. Gilberto Sayão conheceu esse mecanismo por dentro. Entrou no Pactual em 1991, como estagiário, recém-formado em engenharia pela PUC do Rio de Janeiro. Três anos depois já era um dos sócios da instituição. Em 2012, aos 41 anos e à frente da gestora de recursos Vinci Partners, Sayão falou sobre as semelhanças entre o Garantia e o banco onde trabalhou por quase duas décadas:

"Os conceitos de partnership *e meritocracia eram a espinha dorsal do Garantia e eram também a espinha dorsal do Pactual. Não existia no Bra-*

sil esse negócio de você oferecer sociedade, bônus agressivo, fixo baixo e variável muito alto. Não existia isso de você pegar um cara jovem, que não tinha experiência, como era o meu caso no banco, e dar oportunidade. Assim como no Garantia, no Pactual desde o primeiro momento você já era elegível a bônus. Se me perguntar o meu salário na época, não sei nem responder. A grande referência era o bônus. Depois você podia virar associado e, finalmente, sócio – comprava ações financiado pela tesouraria do banco e pagava com os seus bônus futuros. Um modelo igual ao do Garantia. E não tinha mordomia nenhuma. Carro? Título de clube? Esquece. É dinheiro, entendeu? E com o seu dinheiro cada um faz o que quiser."

Para bancos como o Garantia e o novato Pactual, a instabilidade econômica do país nos anos 80 representava uma tremenda oportunidade. É bem verdade que era preciso lidar com uma série de planos econômicos (Cruzado em 1986, Bresser em 1987, Verão em 1989 e Collor em 1990), mudanças de moeda (de cruzeiro para cruzado; de cruzado para cruzado novo, e de cruzado novo para cruzeiro) e uma hiperinflação que atingiu espantosos 1.973% em 1989. Enquanto a renda média do brasileiro praticamente ficou estagnada no período, os bancos ganharam dinheiro a rodo – em grande parte financiando a dívida do governo.

Nesse cenário, o Pactual decolou. Nos 10 primeiros anos seu crescimento médio anual foi de 33% e o patrimônio pessoal de Luiz Cezar Fernandes beirava os 600 milhões de dólares. Tudo indicava que sua decisão de sair do Garantia e fundar o Pactual tinha sido a mais acertada. Na nova instituição, Fernandes provou ao mercado seu talento como banqueiro criativo e ousado. Teve também a chance de dar o troco a Beto Sicupira, com quem se desentendera na saída do Garantia.

Quando José Paulo Amaral, na época principal executivo da Lojas Americanas, avisou a Jorge Paulo Lemann, Marcel Telles e Beto Sicupira que não trabalharia na GP Investimentos, ele não disse que tinha um emprego em vista. Luiz Cezar Fernandes o convidara para reestruturar a Mesbla, que havia pedido concordata deixando 1.600 credores na mão, entre eles o Pactual. Amaral, que sabia do racha entre Fernandes e Beto Sicupira, achou melhor não comentar com o amigo qual era seu novo destino profissional. Combinou com os controladores da Lojas Americanas que deixaria a companhia e que faria a transição do cargo para o escolhido de Beto, Fersen Lambranho.

Enquanto Amaral preparava sua saída, a notícia de que o executivo estava a caminho da Mesbla foi publicada nos jornais. Beto Sicupira ficou furioso e encarou a atitude de Amaral, seu compadre e companheiro de pescarias, como uma brutal traição. "Beto ficou chateado, fora de controle, achou que não devia ter acontecido nada daquilo", diz Amaral. O estrago estava feito.

Ao deixar a Americanas, Amaral detinha uma participação acionária de quase 25 milhões de dólares na varejista. Além do dinheiro, levou lições de gestão que usa até hoje. Na Fazenda Novo Rumo, propriedade que mantém no Mato Grosso do Sul, todos os funcionários são elegíveis a bônus depois de um ano de casa. José Paulo Amaral só não conseguiu refazer a amizade com Beto. Nunca mais reviu sua afilhada. "Na vida a gente sempre tem perdas", diz ele. "Felizmente eu tenho mais ganhos do que perdas, mas se há uma perda que eu lamento é essa."

Seu sucessor na Lojas Americanas, Fersen encontrou uma empresa com dificuldades. A companhia havia se tornado pesada, ineficiente, precisava de investimentos para se modernizar e aprender a operar numa economia estável, sem inflação. Boa parte dos esforços do executivo se voltou para o setor de logística, com a criação de uma área de distribuição própria e a centralização dos estoques e de tecnologia.

Tudo isso para evitar um problema recorrente nas prateleiras das lojas: falta de produtos. Paralelamente, Fersen investiu em um programa de trainees que chegou a recrutar 150 jovens.

Formar gente boa e preparar a empresa para um salto logístico e tecnológico eram medidas necessárias, mas que só trariam resultado a longo prazo. O problema é que, com um prejuízo de 37 milhões de reais naquele ano, a Lojas Americanas precisava de um ajuste urgente.

Em 1998, pouco mais de 12 meses depois de assumir o cargo, Fersen deixou o posto para trabalhar na GP Investimentos (mas permaneceu no conselho de administração da varejista). No relatório anual da Lojas Americanas referente a 1997, ele explicou sua saída e a escolha de seu sucessor. "Acredito que o processo, daqui para a frente, deve ser comandado por um novo executivo, com um histórico de sucessos em gestão de mudanças, e que não esteja envolvido com o passado da Companhia", escreveu Fersen. O nome indicado foi o de Cláudio Galeazzi, consultor que ganhou fama ao promover drásticos choques de gestão em empresas passando por dificuldades, como a fabricante de revestimentos cerâmicos catarinense Cecrisa e a empresa têxtil Artex.

Nos anos seguintes a Lojas Americanas teria um desempenho oscilante, com períodos de crise e crescimento. E nunca conseguiu fazer sombra ao outro grande investimento do Garantia – a Brahma – , ainda que apresente um bom retorno financeiro para seus acionistas.

~

Luiz Cezar Fernandes montou um banco vencedor. Também "roubou" um executivo-chave para os controladores do Garantia. Em meados da década de 90, à distância, o banqueiro parecia imbatível. Dentro do Pactual, porém, a história era um pouco diferente.

Os sócios do Pactual começaram a se desentender por discordar dos rumos a tomar. O principal ponto de divergência era em relação à transformação da instituição em um banco de varejo. Durante 15 anos, o Pactual construíra reputação e fortuna como um aguerrido banco de investimentos. Fernandes tentava agora convencer seus sócios de que havia um caminho também em atividades como a venda de títulos de capitalização, seguros e previdência privada. Sua intenção era comprar o BCN, do banqueiro Pedro Conde. Nenhum dos sócios queria ouvir aquele tipo de ideia. Diversificar demais as atividades era arriscado – e o próprio Luiz Cezar Fernandes já deveria ter aprendido essa lição.

Em 1993 Fernandes investiu 1,5 milhão de dólares do próprio bolso em uma atividade sobre a qual pouco (ou nada) conhecia e arrematou a operação da italiana Benetton no Brasil. "No banco e na moda você está sempre vendendo uma ideia", disse Fernandes em 1994, na tentativa de identificar uma inidentificável semelhança entre os dois setores. Depois de dois anos de prejuízo, revendeu a empresa aos italianos. Outra investida pessoal em que se deu mal foi a compra da indústria têxtil Teba, que em 1996 e 1997 acumulou prejuízos de 43 milhões de reais.

No Pactual, assim como no Garantia, discrição na vida pessoal era um valor a ser perseguido. O fato de Fernandes ter se transformado em um festeiro de primeira grandeza não ajudou no relacionamento com os sócios. Em 1993 ele organizou dois eventos que ficaram marcados na memória da sociedade carioca. O primeiro foi uma festança para comemorar os 10 anos do Pactual. Ele queria mostrar aos 5.000 convidados – e especialmente a Jorge Paulo Lemann – como prosperara depois do Garantia. Lemann, que até hoje reconhece a importância que Fernandes teve no começo da história do banco, saiu da reclusão habitual para prestigiar o evento. A outra festança aconteceu no réveillon daquele mesmo ano, quando Fernandes abriu as portas da Fazenda Marambaia, uma magnífica propriedade localizada nos arredores de Petrópolis, com jardins projetados por Burle Marx, para quase 600 convidados. Era champanhe para todo lado.

Os primeiros a cair fora dos planos grandiloquentes de transformar o Pactual em um banco de varejo foram Paulo Guedes e André Jakurski, que deixaram o banco no início de 1998 (Renato Bronfman havia se desligado cerca de dois anos antes). A saída deles abriu espaço para que um grupo de sócios jovens – André Esteves, Gilberto Sayão, Marcelo Serfaty e Eduardo Plass – aumentasse sua participação. O problema, para Fernandes, é que o quarteto se mostrou ainda mais refratário a seus planos que os parceiros antigos. E mais: aproveitou sua fragilidade financeira, resultado das investidas nos negócios particulares que naufragaram, para forçá-lo a vender parte de suas ações no banco.

Luiz Cezar Fernandes fez o que pôde para resistir quando os quatro lhe ofereceram dinheiro para que ele quitasse suas dívidas – em troca eles ficariam com o controle do banco (o fundador ainda detinha 51% das ações). Segundo uma reportagem publicada pela revista *Veja* em agosto de 1998, depois de ouvir a proposta dos jovens sócios durante uma reunião, Fernandes pediu licença para ir ao banheiro e sumiu. Só foi dar as caras no escritório novamente três dias depois. Estava encurralado e sozinho. Não bastassem as agruras financeiras, ele se sentia traído por um grupo ao qual dera todas as oportunidades de crescimento. Era uma questão de tempo até que perdesse todos os anéis. Sua participação foi progressivamente reduzida, até que se viu obrigado a ceder a presidência a Eduardo Plass. Em meados de 1999 Luiz Cezar Fernandes vendeu suas últimas ações aos "garotos", como ele chamava o quarteto antes da queda de braço. Levou 55 milhões de reais pelos 9% de participação, mas saiu moralmente derrotado.

Os jovens sócios que o destronaram mantiveram a cultura de meritocracia emulada do Garantia. Assim como no banco criado por Jorge Paulo Lemann, o Pactual se transformou num trampolim para que jovens talentosos e ambiciosos – bem-nascidos ou não – fizessem fortuna. Dois deles ficaram bilionários com a venda da instituição para o suíço UBS por 2,6 bilhões de dólares em 2006: Gilberto Sayão e André Esteves. Com a saída de Fernandes, eles se tornaram os principais nomes do banco e detinham, cada um, 30% da instituição. A venda garantiu a Esteves, um carioca nascido no bairro de classe média da Tijuca e formado em matemática, uma projeção global. O ex-operador se mudou para Londres com a família para chefiar o departamento de renda fixa do UBS.

Uma vez exposto ao mercado financeiro mundial, Esteves começou a arquitetar seu próximo passo. A crise de 2008 afetou profundamente o UBS – e o brasileiro enxergou uma oportunidade para tentar comprar o controle global do banco suíço. Uma das fontes de financiamento que Esteves buscou para levar a empreitada adiante foi Jorge Paulo Lemann. Depois de alguma análise, Jorge Paulo recuou. A malsucedida tentativa de adquirir quem o havia comprado colocou Esteves numa saia justa com os suíços. Em 2008 ele teve de voltar ao Brasil. Fundou então o BTG, sigla que oficialmente significa Banking and Trading Group, mas que no mercado financeiro ganhou uma interpretação mais simbólica: Back to the Game (em português, de volta ao jogo). Um ano depois de fundar o BTG, Esteves recomprou o Pactual por um valor muito abaixo do que havia vendido aos suíços.

No BTG, André Esteves replicou a cultura baseada em meritocracia e sociedade. Trabalhador compulsivo, polêmico, arrojado e com trânsito invejável junto ao governo, em menos de quatro anos Esteves fez do BTG Pactual o maior banco de investimentos do Brasil, atuando em mercados tão diferentes quanto private equity, administração de fortunas e varejo (essa última atividade, resultado da compra do Panamericano, uma instituição atolada em dívidas). Para muitos que acompanham de perto a ascensão meteórica do banco, talvez Esteves esteja acelerando rápido demais.

O estilo de Gilberto Sayão é um bocado diferente. Sem nenhuma intenção de sair do Rio de Janeiro, onde sempre morou, ele continuou à frente da Pactual Capital Partners (PCP), o fundo de private equity que administrava o dinheiro dos sócios do banco. Quando as amarras do acordo de venda para os suíços acabaram, Sayão fundou a Vinci Partners, uma administradora de recursos que hoje tem mais de 15 bilhões de reais sob gestão. Boa parte desse dinheiro é investida em empresas de diferentes setores, da moda ao agronegócio. Ter nas mãos um banco novamente é algo que Sayão diz não fazer parte dos seus planos.

Para que plano
de negócios?

Em 1989, depois de quase três décadas sem promover eleições diretas para a Presidência da República, o Brasil se preparava para escolher seu novo mandatário. Dois candidatos despontavam como favoritos. O primeiro era Fernando Collor de Mello, um jovem político que fizera fama e carreira como o "caçador de marajás" em Alagoas, estado que governava até disputar a presidência. O outro era o pernambucano Luiz Inácio Lula da Silva, um ex-sindicalista que representava o Partido dos Trabalhadores. Os dois eram uma incógnita para o eleitorado, mas Lula provocava calafrios na maioria dos empresários brasileiros. Eles temiam medidas como congelamento de preços, sobretaxa aos lucros, aumento da burocracia e até uma reforma agrária que prejudicasse o agronegócio. O então presidente da Federação das Indústrias do Estado de São Paulo (Fiesp), Mario Amato, chegou a dizer em público que uma vitória do representante do PT levaria 800 mil homens de negócios a deixar o país.

Jorge Paulo Lemann não era próximo de nenhum dos dois candidatos – circular por Brasília nunca foi seu forte, ainda que ele conhecesse figuras importantes do governo. Até aquele momento, tinha ficado a sós com Collor apenas uma vez, por obra do acaso, conforme relatado pela revista *Interview*, numa reportagem publicada em 1994.

Num dia chuvoso no centro do Rio de Janeiro, Collor acenou para o mesmo táxi que Jorge Paulo chamava. Depois de debaterem sobre quem ficaria com o carro, decidiram "rachar" a corrida, já que seguiriam na mesma direção. Collor não reconheceu o banqueiro, mas Jorge Paulo sabia quem era o jovem político nordestino que começava a ganhar nome em todo o país.

O político e a mulher que o acompanhava se sentaram no banco de trás e começaram a conversar em inglês. Jorge Paulo Lemann foi na frente, ao lado do motorista. Collor se queixava à interlocutora do comportamento de alguns empresários. Citou especificamente o nome de Jorge Paulo Lemann. O banqueiro escutou o quanto aguentou até que, sem se identificar, avisou aos "caronas" que falava inglês. Collor continuou a fazer críticas – agora em francês. Quando chegou ao seu destino, antes de sair do automóvel Jorge Paulo olhou para o político e lhe disse apenas que seu francês era tão ruim quanto o inglês.

Às vésperas de uma eleição que poderia mudar as regras do jogo, o caixa do Garantia estava transbordando – e Jorge Paulo Lemann se sentia profundamente incomodado com a situação. O banqueiro jamais gostou de ficar com muito dinheiro parado nem de distribuir dividendos tão gordos que pudessem deixar os sócios acomodados. Comprar o controle de outra empresa, como já havia acontecido com a Lojas Americanas, parecia a solução ideal. Definir qual seria o alvo de outra aquisição era um dos exercícios prediletos do empresário. A fabricante de papel e celulose Aracruz, por exemplo, foi uma das companhias que Jorge Paulo tentou arrematar – as negociações, porém, emperraram no final.

Havia outra empresa em que há tempos ele estava de olho, a cervejaria Brahma. Apesar da marca forte, a companhia vinha perdendo terreno por uma série de problemas internos. Jorge Paulo não era o único a notar o declínio. "Tinha gente no nosso grupo que observava esse processo da Brahma e dizia que era uma empresa fantástica, mas que estava pedindo uma nova liderança empresarial", diz Jorge Gerdau. "Como somos totalmente focados em siderurgia, não era um negócio para a gente, mas dava para perceber que a Brahma precisava de uma mudança."

Pouco mais de duas semanas antes do primeiro turno das eleições presidenciais, Jorge Paulo recebeu uma ligação de Hubert Gregg, presidente da cervejaria e membro de uma das duas famílias alemãs controladoras (a outra era a Künning). Fazia tempo que Jorge Paulo conquistara a confiança de Gregg. Tudo havia começado oito anos antes, quando um investidor chamado Mario Slerca passou a comprar ações da cervejaria no mercado. Como naquela época os papéis ainda eram ao portador, os controladores da Brahma levaram algum tempo até identificar quem era o misterioso interessado. Ao perceberem que Slerca estava próximo de fazer um *takeover*, os alemães foram pedir ajuda ao fundador do Bradesco, Amador Aguiar, com quem tinham bom relacionamento. Aguiar prometeu encontrar uma solução. A saída sugerida pelo comandante do Bradesco foi convencer a seguradora Sul América a comprar a participação de Slerca. Aguiar, que mantivera por três anos uma associação com a Sul América em uma seguradora de previdência privada, ainda tinha muita influência na companhia carioca.

Tudo parecia resolvido, até que a Sul América começou a aumentar demais sua fatia na Brahma. Em outras palavras, o mecanismo que Aguiar usou para proteger a Brahma estava se voltando contra a cervejaria. Gregg se sentiu traído e novamente recorreu a Aguiar. O dono do Bradesco não gostou nada da manobra da Sul América e mandou a empresa se desfazer dos papéis imediatamente.

Jorge Paulo Lemann estava nos bastidores desse imbróglio desde o início, contratado pelas famílias alemãs. Costurou o acordo com o Bradesco, pressionou a Sul América a vender as ações da Brahma e, finalmente, fez parte do bloco que financiou os donos da cervejaria para recomprarem os papéis em mãos da seguradora. Com o controle garantido novamente, Gregg pôde colocar parte dos papéis à venda de forma mais pulverizada, para não correr o risco de sofrer um novo ataque – e coube ao Garantia levar essas ações ao mercado. Com esse negócio, Jorge Paulo não apenas se aproximou ainda mais do Bradesco, banco pelo qual tinha enorme admiração (até hoje o empresário ressalta a força da cultura forjada por Amador Aguiar e sua capacidade de perpetuação), como conquistou a confiança do presidente da Brahma. "Eu ganhei ponto ali... Desde então comecei a falar para eles que, se um dia quisessem vender a companhia, eu gostaria de comprar", disse Jorge Paulo certa vez.

No final dos anos 80, a Brahma vivia uma situação típica de empresas familiares. Depois de décadas de crescimento, passou a andar de lado, sufocada por questões mais relacionadas aos controladores do que ao negócio em si. Diversos membros das famílias acionistas trabalhavam na cervejaria, muitos deles em cargos de diretoria – e a chegada de novas gerações só complicava a situação. Embora a cervejaria detivesse quase 30% de participação de mercado, seu resultado financeiro era pior que o da concorrente paulista, a Antarctica. Estagnados e sem perspectivas de virar o jogo, os donos da Brahma chegaram à conclusão de que era preciso passar o negócio para a frente. Foram quase quatro meses de negociação – pelo Garantia, apenas Jorge Paulo participou das conversas com os acionistas da Brahma – até que o banqueiro recebesse aquele telefonema de Gregg, no final de outubro de 1989. Jorge Paulo estava preparadíssimo para atender a ligação. Nos últimos dois meses o Garantia já vinha comprando no mercado todas as ações da Brahma que encontrava pela frente. Agora só faltava arrematar o controle (um mecanismo semelhante ao que ele e seus sócios haviam empregado na compra da Lojas Americanas). Ao desligar o telefone, o banqueiro correu para a sede da cervejaria, no Rio de Janeiro. Quando retornou ao banco horas depois, anunciou:

"Pessoal, comprei a Brahma." A novidade custou aos cofres do banco 60 milhões de dólares. "Ainda bem que eu não fiz *business school*, senão jamais fecharia um negócio desses numa tarde", costuma dizer o empresário.

A reação dos sócios do Garantia ao anúncio não foi unânime. Marcel Telles, por exemplo, ficou animadíssimo e comemorou a novidade. Outros fizeram contas – e acharam que o negócio era uma loucura. Um dos que mais ficaram na defensiva foi o economista Claudio Haddad. "Você está maluco! Como é que vamos pagar?", indagou. Sua maior preocupação era que Lula fosse eleito presidente e isso gerasse instabilidade econômica.

Era um questionamento sensato e pragmático, com um embasamento teórico inquestionável – justamente o que Jorge Paulo Lemann foi buscar em Haddad em 1979, quando o convidou para se tornar economista-chefe do banco. Ph.D. pela Universidade de Chicago, Haddad foi o primeiro acadêmico entre os PSDs que Lemann costumava recrutar. Era o intelectual em meio aos leões. A necessidade de contar com um teórico foi percebida por Jorge Paulo depois de um susto provocado pelo então ministro da Fazenda Mário Henrique Simonsen. Numa tentativa de controlar a inflação, Simonsen cortou quatro pontos percentuais da correção monetária – um baque gigantesco para o Garantia, que detinha grandes posições em ORTNs. Da noite para o dia, o banco perdeu 20 milhões de dólares – um valor considerável de seu patrimônio.

Para Jorge Paulo, profissionais com a formação de Claudio Haddad poderiam antecipar futuros movimentos macroeconômicos que colocassem o banco novamente em risco. O economista calculava tudo, pesava prós e contras antes de tomar qualquer decisão. Ele era tão cauteloso que por anos duvidou que conseguiria um dia pagar as opções de ações que recebia do Garantia. Não só Haddad quitou sua dívida como em 1993 se tornou o principal executivo do banco.

Argumentos cautelosos como os de Claudio Haddad eram tudo o que Jorge Paulo Lemann não queria ouvir quando anunciou a compra da Brahma. O empresário tinha certeza de que a aquisição era um negócio importante. Uma daquelas oportunidades que passam poucas vezes em frente a um empreendedor. Algo com potencial para impactar drasticamente o destino do grupo. Sua confiança absoluta não tinha nada a ver com um "sexto sentido" ou coisa que o valha. Jorge Paulo se considera um homem com intuição zero. Na tomada de decisões ele conta sobretudo com bom senso, visão de futuro e um raciocínio simples. Eis seu argumento para convencer Claudio Haddad de que a transação fazia todo o sentido: "País tropical, clima quente, marca boa, população jovem e má administração... Pô, tem tudo pra gente transformar numa coisa grande", disse ao sócio. Para completar, o banqueiro havia feito uma "pesquisa de mercado" informal, que revelou informações animadoras. "Eu olhava na América Latina e quem era o cara mais rico da Venezuela? Um cervejeiro (a família Mendoza, da Polar). O cara mais rico da Colômbia? Um cervejeiro (o grupo Santo Domingo, dono da Bavaria). O mais rico da Argentina? Um cervejeiro (os Bemberg, da Quilmes). Esses caras não podiam ser todos gênios... O negócio é que devia ser bom." Embora relutante, Haddad aquiesceu. Sem ter ideia de que aquela se transformaria na maior cervejaria do planeta, se tornou também sócio da Brahma. Estima-se que a participação que ele comprou a contragosto valia em 2012 o equivalente a quase 1 bilhão de reais em papéis da AB InBev.

Como banqueiros que não conheciam nada sobre o dia a dia de uma operação cervejeira poderiam controlar a centenária Brahma? "Só estamos entrando no negócio com o dinheiro", disse Beto Sicupira à época, talvez numa tentativa de acalmar os céticos. Nada mais distante da realidade. Da mesma maneira que o próprio Sicupira havia deixado o banco anos antes para mudar radicalmente a gestão da

Lojas Americanas, outro sócio seria agora escalado para fazer o mesmo na cervejaria. O escolhido foi Marcel Telles.

Àquela altura, Marcel já somava quase 18 anos no banco. Fazia pouco tempo que ele concluíra um curso em Harvard chamado OPM (Owner/President Management Program), voltado para empreendedores que precisavam aprender mais sobre administração (Beto Sicupira concluíra esse curso anos antes). Foi em Harvard que o banqueiro, que até então se concentrava apenas nas transações diárias da instituição financeira, começou a se transformar num empresário com visão de longo prazo.

Tocar a Brahma exigiria mais que teorias de administração. Telles estava prestes a entrar em contato com um universo que desconhecia totalmente: fábricas, centros de distribuição, marketing de produtos de consumo, sindicatos de operários. No Garantia ele estava à frente de uma equipe de poucas dezenas de pessoas; na Brahma seriam quase 20 mil funcionários. Para enfrentar esse mundo novo, ele precisaria da ajuda de gente de primeira linha. Quando chegou à Brahma ele não estava sozinho – levava um pequeno time formado por Magim Rodrigues, Carlos Brito e Luiz Cláudio Nascimento, conhecido como Pantera. Cada um havia sido cuidadosamente recrutado para a missão. Pantera trabalhava no Garantia e seria o responsável pelo caixa da Brahma. Brito, um jovem engenheiro carioca que havia terminado recentemente um MBA em Stanford, criaria um modelo de controles gerenciais para a companhia. Magim, ex-presidente da Lacta e então com 47 anos, seria o braço direito de Marcel.

Contratar um "forasteiro" para ocupar um posto-chave em suas empresas é exceção nos negócios de Jorge Paulo, Marcel e Beto. A prioridade sempre foi dar oportunidade a quem já estava dentro e tinha talento. Mas Magim não era exatamente um desconhecido. Ele havia conhecido Beto Sicupira anos antes, quando foi até a Lojas Americanas questionar por que a rede vendia poucos ovos de Páscoa da Lacta. Pelas contas do executivo, a varejista tinha condições de quintuplicar as vendas do chocolate que ele fabricava. Beto argumentou que não havia espaço nas prateleiras para expor tamanho volume de ovos. Magim foi embora, inconformado com o desfecho da conversa. Horas mais tarde, ligou para o empresário:

– Beto, achei o lugar.

– Ah, é? Então vem aqui. Vamos conversar e alguém nessa companhia vai levar um esporro por ter deixado espaço ocioso dentro da loja.

A saída proposta por Magim seria adotada não só pela Americanas, mas por todos os grandes varejistas brasileiros: os ovos deveriam ser pendurados numa estrutura erguida em cima dos corredores, em vez de ocupar lugar nas prateleiras. Beto adorou a ideia e decidiu colocá-la em prática. Deu certo. A Lacta vendeu para a Americanas cinco vezes mais chocolates do que no ano anterior. No sábado de Aleluia, véspera da Páscoa, o estoque da varejista estava praticamente esgotado.

Depois desse episódio, Magim e Beto mantiveram contato frequente até que o executivo deixou o comando da Lacta, chamuscado por desentendimentos entre os acionistas. Para esfriar a cabeça, ele decidiu morar com a família numa casa em frente à praia de Stella Maris, no norte de Salvador. Durante um ano surfou, jogou tênis, tomou banhos de sol. Rico graças à antiga vida de executivo, Magim estava decidido a não mais trabalhar. Catorze meses depois do exílio autoimposto recebeu uma ligação de Beto, convidando-o para uma reunião no Rio de Janeiro. Magim relata o encontro:

"Beto falou que eles estavam entrando num novo negócio e que, entre os sócios, o Marcel tomaria conta. Eles queriam que eu embarcasse junto no projeto, mas não diziam o que era, porque ainda estavam em negociação. Quando perguntei qual era o ramo e o Beto falou que não poderia contar, avisei que então não dava, que aquela conversa não tinha sentido. Como eu ia topar sem saber nada? Aí ele soltou que era no ramo

de bebidas. Pensei que devia ser uma franquia da Coca-Cola. Nem me passou pela cabeça Brahma ou Antarctica, que eram duas companhias pesadas, velhas, tradicionais... Eu achava que isso não tinha nada a ver com eles... Mesmo sem muita informação, topei. Eu não conhecia bem o Marcel e o Jorge Paulo, mas gostava do Beto. Ele tinha um estilo agressivo, dinâmico, trabalhador, sem frescura, que tinha tudo a ver comigo."

Durante os meses que antecederam o fechamento da compra, Magim, Pantera e Brito ocuparam uma sala de reuniões no Garantia para preparar a tomada da Brahma. Boa parte do tempo de Magim foi preenchida por viagens internacionais. Ele precisava entender como funcionava o mercado cervejeiro na Argentina, no Chile, na Alemanha, nos Estados Unidos e no Japão. Era a velha máxima do Garantia mais uma vez posta em prática: para que começar do zero se era possível aprender com os melhores do mundo? Tinha funcionado com o Garantia, que copiou as melhores práticas do Goldman Sachs. Tinha funcionado com a Lojas Americanas, profundamente influenciada pelo Walmart. Funcionaria também com a Brahma. Poucas semanas antes do anúncio da compra, Lemann convenceu Gregg a autorizar a "contratação" de Magim e Brito pela companhia. O primeiro foi para a fábrica da cervejaria em Minas Gerais; o segundo, para a unidade de Agudos, no interior paulista. Quando o dia decisivo chegasse, eles estariam preparados – ou pelo menos era o que pensavam.

Do mesmo modo que Beto Sicupira viu sua remuneração encolher quando assumiu o comando da Lojas Americanas, Marcel Telles abriu mão dos bônus como sócio do Garantia para se tornar o principal executivo da Brahma (ele continuou recebendo os dividendos distribuídos pelo banco). Para ele isso não era um problema. Marcel via na Brahma a oportunidade de construir a companhia dos seus sonhos, uma espécie de Garantia passado a limpo.

No dia 6 de novembro de 1989 ele pisou na cervejaria pela primeira vez. Um problema inesperado já o aguardava. Na ânsia de fechar o acordo com a Brahma, o Garantia dispensou a tradicional *due diligence,* análise detalhada que o comprador realiza nas contas da empresa a ser adquirida antes que o negócio seja concretizado. Quando finalmente teve acesso a todos os números, Marcel tomou um susto. O fundo de previdência da cervejaria tinha um patrimônio de 30 milhões de dólares e uma necessidade de reservas para cumprir suas obrigações que somava 250 milhões de dólares – quatro vezes o valor que o banco havia pago para comprar a Brahma. Hoje, quando comentam o assunto, Marcel, Jorge Paulo e Beto dizem que foi ótimo não ter feito a lição de casa. Se soubessem o tamanho da encrenca, provavelmente não teriam levado o negócio adiante.

O baque exigiu medidas rápidas e drásticas. O sangue-frio do ex-operador de mercado entrou em cena. Marcel nunca foi o tipo de pessoa que posterga uma decisão. Por mais que os reflexos de seus atos sejam impopulares, ele age rápido. Analisou a situação e chegou à conclusão de que os próprios executivos da Brahma haviam criado uma distorção no sistema de previdência privada da companhia (em 2009, situação semelhante foi um dos principais fatores que levou a montadora americana General Motors a pedir concordata). Para Marcel, a distorção precisava ser corrigida – caso contrário colocaria em risco toda a companhia. Ele determinou que o valor da aposentadoria a que diretores teriam direito seria reduzido à metade. No caso de gerentes, a diminuição oscilou entre 30% e 40%. Apenas para os funcionários da base os valores foram mantidos. Foi preciso conversar individualmente com quase 400 pessoas para chegar ao novo formato do plano previdenciário. A decisão provocou uma convulsão entre os executivos.

Aos 39 anos, recém-separado da primeira mulher e sem filhos, Marcel mergulhou no novo trabalho com fôlego redobrado. Com roupas informais, barba espessa e cabelo farto, que lhe conferiam mais a aparência de um sindicalista que a de um banqueiro, tratou de conhecer de perto fábricas e revendas da Brahma espalhadas pelo Brasil. Visitou cervejarias no exterior (inclusive a Anheuser-Busch), conversou pessoalmente com cada um dos principais executivos. Durante quase todo o primeiro ano à frente da Brahma, seus sábados foram dedicados a reuniões com Magim, Brito e Pantera. Elas tinham horário para começar – nove horas da manhã –, mas não para terminar. Às vezes aconteciam no próprio apart-hotel onde Marcel morava na época, na Zona Sul do Rio de Janeiro, ou em sua casa em Búzios.

Nesses encontros, os quatro relatavam tudo o que havia acontecido nos últimos dias e traçavam a rota para a semana seguinte. O ajuste fino era fundamental para que não perdessem o controle daquele bicho novo que mal conheciam. Marcel também escrevia cartas periódicas aos seus sócios do Garantia com relatos do que acontecia na cervejaria. Era uma forma de organizar suas ideias e, em alguma medida, mostrar que sua ausência do banco valeria a pena para todo mundo. De novembro de 1989 a janeiro de 1991, mandou para os sócios 13 relatórios.

Assunto para as reuniões de sábado e para as cartas aos sócios não faltava. A Brahma era um celeiro de burocracia, desperdício e ineficiência. Suas despesas administrativas saltaram de 12% para 17% da receita operacional líquida de 1988 para 1989, num caso raro de custos supostamente fixos que se mostraram variáveis. As fábricas da companhia estavam envelhecidas, com máquinas cuja idade média era de 40 anos. Os antigos administradores pareciam não se importar com a obsolescência. Preferiam investir numa reluzente frota de carros – havia mil automóveis nos estacionamentos da empresa e outros 40 Opala Comodoro estavam encomendados. Os diretores tinham direito a 45 dias de férias por ano. Os salários eram em média 30% mais altos que os do mercado – com distribuição de 14º e até de 15º salário (para cargos acima da gerência). Apesar de ter um acordo com a

Pepsico para distribuir os refrigerantes da empresa no Brasil, a Brahma jamais havia aproveitado a oportunidade para fazer benchmarking com os americanos. Executivos gastavam a maior parte de seu tempo preparando relatórios longuíssimos e participando de reuniões que raramente decidiam alguma coisa. A situação acabou inspirando uma piada interna, contada a Marcel pouco depois de sua chegada. Diziam que um grupo de arqueólogos descobriria as ruínas da Brahma no futuro e encontraria uma quantidade abissal de pastas, relatórios, formulários e afins. Depois de analisar o material, os cientistas chegariam a uma conclusão irrefutável: ali havia funcionado uma fábrica de papel com tantos funcionários beberrões que a diretoria construíra uma destilaria ao lado.

A única coisa boa em dar de cara com uma empresa recheada de problemas tão evidentes é que qualquer ajuste produzia resultados rápidos. No final de 1989, Marcel avisou a todas as áreas da companhia que era preciso diminuir custos. "Ele estabeleceu que os custos tinham que cair 10% e as receitas subir 10% todo ano. Achei que era maluco", lembra Magim Rodrigues. Bastou a pressão para que de uma só tacada departamentos como marketing, RH, suprimentos e finanças reduzissem as despesas em 50 milhões de dólares. Parte dessa redução veio com a diminuição dos quadros. Três meses depois da chegada de Marcel 2.500 funcionários haviam sido desligados (entre gente que foi demitida, se aposentou ou pediu para sair). Era um grupo que equivalia a 10% do total de empregados, mas a 18% da folha de pagamentos. "Eles (Jorge Paulo, Marcel e Beto) foram forçados a absorver uma cultura industrial, que leva muito em conta o longo prazo, mas não perderam a inteligência financeira. Isso fez toda a diferença na Brahma", avalia Jorge Gerdau.

Para acelerar as mudanças, Marcel e seus homens adotavam em larga medida a mesma cartilha já utilizada no Garantia e na Lojas Americanas. As paredes das salas dos diretores da companhia foram ao chão e deram lugar a um mesão compartilhado. O número de secretárias encolheu e os executivos tiveram de aprender a compartilhar as remanescentes com seus colegas. Vagas demarcadas para a diretoria no estacionamento foram extintas – quem chegasse primeiro para trabalhar pegaria os melhores lugares, uma regra que valia para o próprio Marcel. Os restaurantes executivos foram fechados. Acabou também a distinção entre os banheiros dos executivos e os "dos outros". "Marcel pegou o melhor da filosofia do Garantia, materializou na Brahma e deixou a empresa com a cara dele", diz Bruno Licht, ex--sócio do banco.

As mudanças chocariam muitas empresas ainda hoje – não é raro encontrar em pleno século XXI companhias brasileiras que oferecem aos seus executivos restaurantes privativos, onde os almoços são servidos por garçons enluvados. Na Brahma do final dos anos 80 as medidas tomadas por Marcel Telles provocavam enorme espanto – e para muitos dos executivos uma indisfarçável sensação de desconforto. Pouquíssimos se adaptaram aos novos tempos. Um deles foi o carioca Danilo Palmer, diretor financeiro da cervejaria, que já tinha 20 anos de casa quando a turma do Garantia chegou (ele só deixou as funções executivas em 1999, mas permaneceu no conselho de administração da Brahma, e depois da Ambev, por vários anos). O outro foi o diretor de marketing Adilson Miguel, contratado pela Brahma em 1962. "Eu tinha uma sala de uns 40 metros quadrados, três telefones, secretária exclusiva, um status extraordinário. Só que eu não mandava nada e não ganhava porra de dinheiro nenhum", lembra ele. O veterano não só se identificou com a nova gestão como virou homem de confiança de Marcel. Hoje, aos 71 anos e oficialmente aposentado, ele ainda trabalha na cervejaria como consultor – é responsável pelo relacionamento da companhia, patrocinadora da seleção brasileira de futebol, com a CBF. Miguel conta o impacto da chegada de Marcel Telles à Brahma:

"Ele surgiu na companhia como uma figura completamente diferente de tudo o que a gente podia imaginar. Chegou lá de calça jeans, de dockside sem meia, com relógio de mergulhador no pulso e carregando uma mochila. Na Brahma todo mundo trabalhava de terno, gravata, hiperalinhado, penteado, barbeado. Marcel era a antítese. Eu realmente estranhei aquela figura... Um dia ele apareceu na minha sala, contou o que planejava fazer e perguntou a minha opinião. Eu respondi que ele devia mesmo promover uma mudança na companhia e que eu era provavelmente a pessoa mais prejudicada pela situação que a empresa vivia até então. Eu era diretor de marketing e a Brahma nunca pretendeu fazer nada com marketing. Eu me submetia a um comitê de pessoas que não entendiam absolutamente nada de marketing nem de mercado. Era frustrante. Eu era criticado porque viajava muito para conhecer o mercado. As pessoas ironicamente diziam que eu devia trabalhar numa área chamada "Brahmatur". Mas como é que você vai montar a estratégia de marketing de uma companhia se não sabe o que acontece no mercado, o que acontece com o cliente, com a distribuição? Eu falei para o Marcel que era preciso mudar tudo no marketing, inclusive talvez o próprio diretor."

Para Telles, a avaliação de Adilson Miguel sobre os problemas da Brahma soou como música.

Uma dose de pirotecnia

Tomar cerveja no Brasil na década de 80 era coisa para gente prevenida. À medida que a temperatura subia, não apenas os preços aumentavam, como a bebida simplesmente sumia das prateleiras. As fábricas não produziam em quantidade suficiente e as revendas falhavam na distribuição. O nível de ineficiência era tamanho que consumidores mais cautelosos faziam estoque em casa antes da chegada do verão – os que não se programavam enfrentavam filas em supermercados e até racionamento. Uma reportagem publicada no jornal *Folha da Tarde* em dezembro de 1987 retratava o que acontecia com os clientes que buscavam cerveja na rede Paes Mendonça, então uma das maiores varejistas do país: "Desde cedo consumidores formam filas para entregar vasilhames vazios e obter senhas que os autorizam a levar 12 garrafas por vez." Sob qualquer ângulo que se observasse, aquela era uma situação patética, em que todos os envolvidos saíam perdendo.

Para a turma do Garantia, não havia o menor sentido em deixar de vender por absoluta incapacidade de colocar o produto nas gôndolas. Era preciso azeitar o processo de produção e, principalmente, tornar as revendas mais eficientes. Marcel Telles havia passado várias semanas conhecendo cervejarias americanas e viu de perto como a gigante Anheuser-Busch lidava com sua distribuição – um sistema superajustado capaz de entregar seu principal produto, a Budweiser, em praticamente todos os bares, restaurantes e supermercados dos Estados Unidos. Na comparação com a Brahma, a Anheuser-Busch ganhava de lavada. O que Marcel fez? Usou a velha fórmula da "cultura Garantia": copiou o que viu de melhor lá fora.

Adilson Miguel, o executivo da Brahma que provavelmente melhor conhecia o mercado cervejeiro – não por meio de planilhas e relatórios, mas porque visitava pessoalmente clientes e revendas –, foi o escolhido para conduzir a mudança. "Nossa distribuição estava nas mãos de um monte de empresas despreparadas, normalmente escolhidas só porque eram de um amigo ou parente de algum diretor da Brahma", diz Miguel. "Passavam de pai pra filho, num esquema parecido com o de cartórios, mesmo que o desempenho não fosse lá essas coisas." Para dificultar ainda mais, a Brahma trabalhava com quase mil revendas diferentes, o que trazia uma enorme complexidade à operação. Era tudo tão pulverizado que poucas delas conseguiam de fato ganhar dinheiro. Desestimuladas e com o caixa à míngua, elas quase não investiam em melhorias – e desse modo o círculo perverso da ineficiência se autoalimentava.

Marcel Telles acreditava que o ideal era ter menos revendas, capazes de ganhar dinheiro com o aumento da escala, e deu início a um conturbado processo de enxugamento da rede, que desagradou a maioria dos revendedores excluídos. O passo seguinte foi padronizar os processos das revendas que passaram pelo funil, já que até então cada uma delas trabalhava da forma que bem entendesse. Em pouco tempo todas as revendas remanescentes tinham metas a cumprir e passaram a ter seus resultados medidos com regularidade. As melhores eram premiadas durante um evento anual que a cervejaria promovia. "Chegamos a um ponto em que a nossa distribuição era melhor que a da Coca-Cola", diz Miguel.

A presença maciça em todo o país daria à cervejaria outra vantagem – essa aprendida com o pessoal do Walmart. Quem tem escala tem poder de fogo para barganhar melhores preços e condições de pagamento. Com o crescimento da Brahma, os fornecedores e os varejistas que comercializavam suas bebidas tiveram de se adaptar a novas regras impostas pela fabricante. Todos eles, ao longo dos anos, foram obrigados a diminuir a margem de lucro e "flexibilizar" as condições de pagamento da cervejaria (no futuro a empresa começaria a pagar seus fornecedores apenas 120 dias após a compra do serviço ou produto).

~

As engrenagens da Brahma se tornaram poderosas não apenas no que se refere a processos e resultados, mas principalmente à formação de gente. Assim como acontecia no Garantia, Marcel Telles caçava para a cervejaria jovens ambiciosos, com brilho no olho, faca no dente, vontade de trabalhar muito e dispostos a sacrificar a vida pessoal. A maior diferença entre o recrutamento no banco e na cervejaria era o tamanho da encrenca, afinal a Brahma tinha quase 100 vezes mais funcionários que o banco. Uma das iniciativas colocadas em prática logo de largada foi promover palestras em universidades de ponta para tentar fisgar os jovens antes mesmo que eles estivessem formados – Marcel Telles e Magim Rodrigues se revezavam nessa função de "garotos-propaganda" da cervejaria. Um ano depois da aquisição pelo Garantia, a Brahma ganhou seu primeiro programa de trainees. "Essa contratação de 40, 50 jovens todo ano é que fez a diferença. Quando você pega um garoto de 25 anos e faz dele gerente, isso dá uma fervida na molecada toda", conta Magim. Nessa primeira turma de trainees foi recrutado, por exemplo, o carioca Luiz Fernando Edmond, que em 2005 se tornaria o principal executivo da cervejaria (hoje Edmond é presidente da AB InBev para a América do Norte). Com o passar dos anos, o programa de trainees da cervejaria se transformou em um dos mais disputados do país (em 2012 foram 74 mil candidatos e apenas 24 aprovados).

A invasão do pessoal jovem no comando da Brahma aconteceu de forma acelerada e alcançou todas as áreas da companhia. Uma das medidas mais ousadas de Marcel nesse sentido foi trocar 10 dos 17 gerentes de fábrica em 1990, substituindo antigos funcionários por gente mais nova, que jamais havia trabalhado na produção. Marcel sabia que aquela mudança tão grande em tão pouco tempo seria um risco, mas decidiu pagar para ver. Se funcionasse, seria a chance de espanar mais rapidamente o pó que durante décadas se acumulou na cervejaria. Deu certo.

"O Marcel dizia que todo ano era preciso dispensar 10% da companhia, porque esse pessoal era como 'galho morto' que precisava ser podado", recorda Magim. Não dá para dizer que fosse exatamente uma tese original. A filosofia de Marcel se assemelhava à que Jack Welch, o lendário presidente da GE, pregava na centenária companhia fundada por Thomas Edison. A semelhança não era gratuita. Marcel e seus sócios nunca fizeram imersões na GE, como aconteceu no Goldman Sachs e no Walmart, mas os relatórios anuais da companhia americana funcionavam como uma bíblia para os brasileiros (e eles, novamente, copiaram o que viram de bom).

Welch, considerado o CEO do século XX, esteve à frente da GE de 1981 a 2001, e durante esse período a companhia seguiu uma regra que ficou conhecida como 20-70-10. A fórmula do executivo americano preconizava que num ambiente meritocrático era preciso dividir os funcionários em três faixas: os 20% com melhor desempenho deveriam ser premiados, os 70% medianos poderiam ser mantidos e, para os 10% com pior performance, o único caminho era a rua. Ao adaptar a regra da GE à sua própria realidade, a Brahma provocou uma notável renovação no seu quadro de funcionários. "Quando entrei na companhia a idade média do pessoal girava em torno de 48 anos", diz Magim. "Quando saí [em 2003] a média tinha caído para 32."

Os resultados da mudança no perfil dos funcionários rapidamente apareceram. Em 1991, menos de dois anos depois da aquisição pelo Garantia, a Brahma foi eleita a "Empresa do Ano" pela revista *Exame*. Seu faturamento cresceu 7,5% em um ano. O lucro praticamente triplicou – e 35% de seus funcionários (os melhores, claro) receberam um bônus entre três e nove salários extras, uma dinheirama equivalente a 10% do resultado da companhia em 1990. Era o embrião da formidável máquina de formação de gente que permitiria à Brahma (e depois à Ambev, à InBev e à AB InBev) crescer sempre sob o comando de executivos lapidados dentro de casa. Até hoje, mesmo fora do dia a dia da administração, Marcel Telles participa da seleção final do programa de trainees da companhia – e diz aos selecionados que eles podem lhe enviar mensagens diretamente quando julgarem necessário. "Na Brahma eu dava uma ficha de telefone para todo trainee, mas dizia que era uma só... Agora estou mais moderno e todo mundo pode me mandar e-mail quando quiser", afirmou Marcel.

Para disseminar essa nova cultura na centenária cervejaria, Marcel Telles precisou gastar sola de sapato. Era quase uma pregação para converter novos fiéis. "Nós temos que fazer pirotecnia. De vez em quando vamos ter que dar uma de maluco para esses caras saberem que é pra valer", disse Marcel certa vez a Magim. Para um executivo de temperamento explosivo, gestos largos e voz grave como Magim, "fazer pirotecnia" era moleza. Durante uma viagem da dupla a uma fábrica da Brahma em Bauru, no interior paulista, Magim protagonizou um episódio emblemático. Depois de uma longa reunião com quase 20 pessoas da unidade, Marcel e Magim estavam prontos para ir descansar no hotel. Como já anoitecia, o diretor da fábrica ofereceu aos chefes uma carona. Quando Magim viu o automóvel – um sofisticado sedã da General Motors sem nenhum logotipo da cervejaria –, teve um rompante. Primeiro perguntou se aquele carro era do sujeito ou da companhia. O executivo respondeu que era da frota. Magim ficou transtornado. Começou a chutar a porta do carro e berrar que todos os automóveis da Brahma deveriam estar logotipados (meses antes a cervejaria havia baixado uma norma nesse sentido). "Você tem vergonha da sua empresa?", vociferava, enquanto desferia mais alguns chutes. "Nessa porra eu não vou!" O diretor da fábrica, com 30 anos de casa, ficou atônito. Marcel observou tudo em silêncio. Só abriu a boca quando eles finalmente chegaram ao hotel: "Porra, Magim, não era para exagerar..."

Até hoje Magim se diverte ao contar a história.

~

Na cruzada por cortar custos, recrutar gente boa, traçar metas para todos e oferecer uma remuneração extraordinária aos melhores, Marcel Telles contou com a providencial ajuda de um professor de engenharia. Era o início dos anos 90 e as empresas brasileiras viviam sob a vigilância do chamado Conselho Interministerial de Preços (CIP), órgão do governo federal que controlava os reajustes de 21 categorias de produtos, inclusive cervejas. A fiscalização era ao mesmo tempo uma trabalheira insana – a CIP mantinha uma estrutura de mais de 300 funcionários para analisar 1.200 pedidos de aumentos de preços todos os meses – e um desestímulo à eficiência das empresas, já que os reajustes eram autorizados de acordo com as planilhas de custos dos produtos (quanto mais altos, maiores as chances de conseguir autorização para os reajustes). Marcel Telles já tinha passado um aperto danado por conta desse controle.

Numa ocasião ele fora surpreendido por um grupo da Polícia Federal que apareceu na sede da Brahma disposto a prender o responsável por um aumento de preço. A situação era tão tensa que o advogado da cervejaria sugeriu a Marcel que se escondesse no banheiro – um conselho que ele não seguiu. Não foi fácil para os executivos da Brahma convencer os policiais que a companhia não tinha violado o congelamento, mas apenas repassado o aumento do IPI.

Escaldado com esse episódio, quando quis aumentar o preço da cerveja novamente, Marcel decidiu seguir o protocolo: agendou uma reunião em Brasília com a Secretária Nacional de Economia, Dorothea Werneck. Durante o encontro ela perguntou ao empresário por que, em vez de apenas subir preços, a Brahma não investia em produtividade – e sugeriu que Marcel marcasse uma conversa com um professor da Fundação Christiano Ottoni, de Minas Gerais, que se tornara um dos raros especialistas brasileiros em métodos gerenciais depois de fazer uma série de visitas a empresas japonesas na década anterior. Até aquele momento, Marcel nunca havia escutado o nome de Vicente Falconi, um engenheiro metalúrgico formado pela Universidade Federal de Minas Gerais e Ph.D. pela Colorado School of Mines, nos Estados Unidos. Apesar disso, achou que era melhor seguir a recomendação de Dorothea – desagradar a secretária e ficar sem a autorização para aumentar os preços estava fora de questão. "O Brasil daquela época era como o Velho Oeste em termos de gestão", diz Falconi.

A base da metodologia proposta pelo Professor, como Falconi é chamado, pode ser resumida na sigla PDCA, do inglês *plan-do-check-act* (planejar-fazer-checar-agir). Levar adiante esse conceito aparentemente simples nas desorganizadas companhias brasileiras da época tinha um quê de quixotesco. Até mesmo na Brahma, que já havia passado por um choque de gestão com a chegada da turma do Garantia, as dificuldades eram enormes. Falconi conta como era a cervejaria quando entrou lá pela primeira vez, vinte anos atrás:

"A Brahma era uma maluquice, como eram todas as empresas no Brasil... Não tinha padronização nenhuma. Cada fábrica era uma fábrica, cada dia era um dia... A cerveja variava e não tinha distinção entre uma marca e outra... No começo eu não entendia daquele negócio e era até difícil fazer um diagnóstico. Terra de cego, sabe? Trazíamos japoneses para

ajudar. Todos os diretores e gerentes da Brahma embarcaram em missões para o Japão para aprender o que era qualidade... O Marcel estava muito incomodado com o processo de fabricação de cerveja e me convidou para visitar uma fábrica. Nós chegamos lá às sete da manhã e o mestre cervejeiro saiu conosco para dar uma volta na fábrica. Ele chegava num tanque, botava um pouquinho no copo, cheirava e mandava aumentar a temperatura. Ia a outro tanque, colocava mais um pouquinho no copo e mandava baixar o pH. Tudo a olho, sem medição nenhuma..."

Para alguém como Falconi, obcecado por métrica, aquele descontrole era inadmissível. Ele precisava provar que os mestres cervejeiros não tinham a menor ideia do que estavam fazendo. O consultor então mandou buscar uma garrafa de cerveja em cada fábrica da Brahma – todas produzidas no mesmo dia e na mesma hora. Para efeito de comparação também foram separadas garrafas da concorrência, compradas nas mesmas cidades em que a Brahma mantinha fábricas. O resultado foi alarmante: cada planta apresentava um produto final diferente. O golpe final foi o teste realizado naquela que era considerada a unidade mais eficiente da companhia. Durante um dia inteiro, uma garrafa foi tirada da linha de produção a cada hora. A análise do material mostrou ainda que, em uma mesma fábrica, ao longo de um único dia, a bebida engarrafada mudava consideravelmente suas características. Quando soube das pesquisas, Marcel ficou perplexo. "O que eu vou fazer com essa porra?", perguntou a Falconi. O consultor disse que a saída era estabelecer padrões para cada uma das atividades da fábrica e medir tudo. Só iriam para o mercado produtos que se adequassem a essas normas.

Marcel logo percebeu que muita gente seria contra essas mudanças. Para convencer os executivos a abraçar os mandamentos de Falconi, ele decidiu então atrelar os índices de qualidade ao bolso do pessoal. "Marcel colocou uma meta para todo mundo que trabalhava em fábrica, de operários a diretores: se no primeiro ano a unidade não alcançasse 50% das metas de qualidade, ninguém ganharia bônus nenhum", explica Falconi. "No segundo ano ele aumentou a meta para 75% e, no terceiro, para 95%. Bastou isso para acabar a resistência ao nosso trabalho." Aos poucos a metodologia proposta pelo Professor avançou para os demais setores da companhia. Vendas, administração, logística, nada ficou de fora (atualmente os 116 mil funcionários da AB InBev em todo o mundo têm metas individuais, desdobradas de acordo com as grandes diretrizes da companhia). O professor de engenharia se tornou homem de confiança de Marcel e foi o primeiro forasteiro a ocupar uma cadeira no conselho de administração da companhia, em 1997.

Com o tempo, a presença de Falconi se espraiou por outras empresas controladas pelo trio. Na Lojas Americanas, por exemplo, começou a trabalhar em 1992. "No dia do impeachment do [Fernando] Collor eu botei um terno e fui para Belo Horizonte. O Falconi ia participar de um evento lá e o auditório estava lotado. Aí toca o hino nacional e aparece aquele homem com comportamento de japonês, todo certinho. Quando vi aquela formalidade toda, pensei 'onde é que eu vim parar?'", lembra Fersen Lambranho, que a pedido de Beto Sicupira tinha viajado até Minas Gerais a fim de contratar o consultor para a rede varejista. Nos anos que se seguiram, praticamente todas as empresas em que a GP Investimentos colocou dinheiro também passaram pelas mãos de Falconi e equipe.

Aos 72 anos, Falconi continua envolvido com os projetos que sua consultoria desenvolve em empresas do trio de empresários brasileiros – sobretudo na Ambev, onde ocupa um assento também como conselheiro. Com seu jeito mineiro e cabelos brancos, Falconi pode à primeira vista parecer um senhor tranquilo, pacato. Mas ainda controla dados, números e resultados com mão de ferro e não fica satisfeito enquanto não atinge as metas que ele próprio ajuda a estabelecer. Em meados de 2011 formou um grupo de trabalho com os principais executivos da Ambev para reduzir a rotatividade dos funcionários nas fábricas. Em 2010, o índice bateu na casa dos 20% – a meta de Falconi é baixar para 6% em cinco anos. "Estamos criando novos processos para que os operários se sintam mais reconhecidos, só a remuneração variável não estava sendo suficiente", diz ele. "Agora tudo é comemorado. Se o cara completou 10 anos de casa, tem que ter uma 'faixinha', uma 'estrelinha'. Aprendemos que é preciso celebrar."

A semente
da autodestruição

O economista Eduardo Giannetti da Fonseca, autor de diversos livros e professor do Insper, de São Paulo, trabalhou por uma semana no Garantia. Eis o relato de sua experiência:

"Em 1994 fui convidado por Claudio Haddad para dar uma palestra no Garantia. Eu tinha acabado de lançar o livro Vícios privados, benefícios públicos *e de voltar de uma temporada de sete anos em Cambridge, na Inglaterra. Dias depois da palestra, o Claudio me convidou para um almoço no banco. Quando cheguei lá, estavam na sala também o Jorge Paulo Lemann e o Affonso Celso Pastore, e logo eles fizeram um convite para que eu fosse trabalhar no banco como economista. Fiquei tentado. Eu tinha 30 e poucos anos de idade e sempre havia levado uma vida acadêmica. Tinha curiosidade em conhecer na prática como funcionava um banco de investimentos. Além disso, financeiramente a proposta era muito atraente.*

Topei fazer uma experiência, mas logo percebi que aquele era um universo muito diferente do meu – eu estava acostumado à torre de marfim da academia e no Garantia o ritmo era frenético. Ninguém tinha muito tempo para me explicar como funcionava cada área. Isso me angustiava porque eu não tinha um conhecimento detalhado do funcionamento do mercado financeiro. O grau de dedicação do pessoal ao trabalho era qua-se obsessivo. O expediente começava às sete da manhã, com uma reunião para definir as estratégias do banco. Quando dava umas cinco horas eu já estava doido pra ir pra casa, ficar com a família, mas ninguém ia embora – e eu não seria o primeiro. Era só lá pelas sete, oito que o banco começava a esvaziar. Eu me lembro de ir para a avenida Paulista me sentindo exaurido, fisicamente moído, como se eu tivesse sido atropelado por uma jamanta. Mas para todo mundo que estava lá o ritmo se justi-ficava pela adrenalina e pelas oportunidades de ganhar muito dinheiro. Lembro de um operador que na hora do almoço aproveitava para fazer aulas de pilotagem de helicóptero. Imagine que essa era a maneira que ele encontrava pra relaxar!

A única referência que eu tinha do cotidiano de uma instituição fi-nanceira vinha do meu pai, que trabalhou como diretor num banco muito tradicional em São Paulo. Ele tinha uma salinha, secretária, um garçom com luvas servia café. Nada mais diferente do Garantia do que isso. Um dia eu ousei abrir um livro em pleno horário de expediente, os mercados a toda, para estudar um pouco. As pessoas em volta me olha-ram espantadas, como se eu fosse um ET. Tive vontade de sumir dali. Naquele exato momento percebi que o banco não era para mim. Não aguentei uma semana. Quando avisei que eu não ficaria, a reação do Jorge foi bem-humorada. 'Achei que você ia dar um verniz de cultura para essa turma', ele disse.

O grupo reunido em torno de Jorge Paulo Lemann é provavelmente o mais importante da história empresarial brasileira na segunda meta-de do século XX. Mas, definitivamente, aquela vida não era para mim.”

Se tivesse se adaptado ao ambiente do Garantia, Giannetti poderia ter ganhado uma grana preta. O banco vivia uma sequência de anos com ótimo desempenho, mas 1994 foi excepcional, o melhor de sua história. Todos os grandes negócios passavam pelo Garantia. O banco era a principal escolha de investidores estrangeiros que desejavam colocar seu dinheiro no Brasil (em parte graças ao trabalho de formiguinha que o sócio Fred Packard fez durante anos, abrindo portas no exterior). Sua corretora era a mais poderosa do país, responsável por 7% de toda a movimentação da Bovespa naquele ano – isso sem levar em conta o que o grupo movimentou por meio de corretoras de terceiros. O lucro líquido alcançou quase 1 bilhão de dólares e 90% desse volume foi distribuído entre os 322 funcionários.

Como prega a meritocracia de Jorge Paulo Lemann, uns ganharam mais que outros. Nenhum foi tão feliz quanto o carioca Eric Hime, um brilhante operador com menos de 30 anos. Segundo a imprensa da época e ex-funcionários do Garantia ouvidos durante a apuração deste livro, a bolada do jovem foi de 20 milhões de dólares. Se o valor é uma fortuna nos dias de hoje, imagine há quase duas décadas. A turma do Garantia se considerava invencível e a concorrência se roía de inveja. Nada como um retumbante sucesso para esconder o fracasso iminente.

Para quem observava o Garantia de fora, o banco parecia uma máquina imbatível. Um olhar mais atento, porém, revelaria aqui e ali sinais de que a formidável engrenagem criada por Jorge Paulo Lemann, Marcel Telles e Beto Sicupira dava sinais de desgaste. A frugalidade e a simplicidade, valores centrais da cultura do trio, estavam ameaçadas. Com todo aquele dinheiro engordando os bolsos dos sócios, o espírito quase franciscano que antes tomava conta da instituição escoou pelo ralo. Os operadores agora tinham aulas de pilotagem de helicóptero para aprender a guiar seus próprios brinquedinhos. Casas nababescas eram compradas nas praias mais exclusivas do litoral do Rio de Janeiro e de São Paulo. Carros de luxo importados começaram a preencher as vagas do estacionamento do banco. O que havia de errado em aproveitar um pouco todo aquele dinheiro? Afinal não era para ficar rico que todo mundo ali dava um duro danado? Nada mais justo que desfrutar um pouco das coisas boas da vida depois de tanto trabalho árduo – era o que pensavam vários dos novos milionários do Garantia.

O raciocínio aparentemente lógico escondia uma armadilha. Marcel Telles havia alertado o pessoal para esse risco, em uma carta enviada a todos os comissionados do banco no dia 19 de agosto de 1988. Este é o trecho em que Telles toca no problema:

"Tudo bem que as pessoas comprem carros novos, comprem seu apartamento ou aluguem casa fora. Mas dentro do trabalho nossos cérebros pertencem à firma e todo nosso tempo e esforço devem ser dedicados a ela.

A gestão da própria grana e a perda de tempo com isto, por mais proveitosa que possa parecer, é pensar pequeno. Muito mais importante do que operar uma reserva ou um depósito em caderneta é estar comprometendo nossa inteligência, tempo e esforço na firma. Nós como comissionados somos sócios de seu sucesso e de seu lucro. Até hoje, todos que abaixaram a cabeça e meteram bronca, só pensando na firma, foram extraordinariamente recompensados ao longo do tempo."

Seis anos depois da carta escrita por Marcel, a situação que ele apontava como uma ameaça já havia engolido o banco. Em 1994 nenhum dos três grandes guardiões da cultura da instituição participava do seu dia a dia. Fazia cinco anos que Marcel dava expediente na Brahma. Beto Sicupira estava fora do cotidiano havia mais de uma década – primeiro na Lojas Americanas e depois à frente da GP Investimentos. Jorge Paulo Lemann, então com 54 anos, passou o ano de 1994 no estaleiro depois de sofrer um enfarte enquanto fazia um teste de esforço físico na Clínica São Vicente, no Rio de Janeiro. Embora ele mantivesse a mesma disciplina rígida em relação à saúde – não fumava, não bebia, praticava exercícios quase diariamente –, as mais de duas décadas de agito no mercado financeiro afetaram seu

Rio de Janeiro,
19 de agosto de 1988

DE   :   MHT

PARA :   COMISSIONADOS

No primeiro semestre ventilei para vocês minhas preocupações sobre fases muito bôas e a atitude complacente que podem gerar nos beneficiários.

Lembrei que não deveríamos descuidar os básicos como o recrutamento e treinamento de gente, a procura e desenvolvimento de novas áreas de atuação e o cuidado com a segurança e o bom processamento de nossas operações.

Deixei de mencionar algumas coisas por achá-las óbvias e um pouco abrasivas, mas que agora acho que precisam ser faladas:

1.) Ninguém tem culpa por estar ganhando muito dinheiro mesmo sem estar gerando grandes resultados em sua área no momento; mas pode e deve se sentir incomodado com isto e trabalhar o dôbro para compensar;

2.) Tudo bem que as pessôas comprem carros novos, comprem seu apartamento ou aluguem casa fora, mas dentro do trabalho, nossos cérebros pertencem à firma e todo nosso tempo e esfôrço devem ser dedicados à ela;

3.) A gestão da própria grana e a perda de tempo com isto, por mais proveitosa que possa parecer, é pensar pequeno. Muito mais importante do que operar uma reserva ou um depósito em caderneta é estar comprometendo nossa inteligência, tempo e esfôrço na firma. Nós como comissionados somos sócios do seu sucesso e de seu lucro. Até hoje, todos que abaixaram a cabeça e meteram bronca só pensando na firma, foram extraordinariamente recompensados ao longo do tempo.

Vamos continuar perseguindo todos juntos e com a obstinação de sempre nossos padrões de excelência para conseguirmos manter e aumentar nossos resultados atuais.

Carta de Marcel Telles aos comissionados e sócios do banco: os primeiros sinais de que parte do pessoal estava mais preocupada em gerir o próprio dinheiro do que em fazer o Garantia crescer.

coração. Seus médicos recomendaram que ele se afastasse um pouco dos negócios para cuidar da saúde. Depois do susto, Jorge Paulo embarcou para Cleveland, nos Estados Unidos, para fazer uma série de exames. Teve que começar a pegar leve também nos treinos de tênis – mesmo à frente do Garantia, ele ainda arrumava tempo para competições internacionais e chegou a ganhar três mundiais de veteranos (o primeiro deles em 1986, com 47 anos). O banqueiro ficou física e espiritualmente abalado com a doença. Recolheu-se e, durante cerca de 12 meses, quase nunca apareceu na firma.

Com Jorge Paulo ausente, o velho princípio de nunca deixar o pessoal com muito dinheiro na mão foi simplesmente esquecido. Nas raras ocasiões em que falou sobre o assunto, Jorge Paulo afirmou que jamais teria distribuído todo aquele lucro de uma só vez entre os sócios e comissionados. Da mesma forma que no passado havia usado o caixa do banco para comprar a Lojas Americanas e a Brahma, ele teria procurado outra oportunidade para investir o dinheiro ganho pela instituição.

O trio de empresários continuava pensando em negócios de longo prazo, mas muitos de seus sócios no banco já não acreditavam tanto nessa filosofia. "O dinheiro começou a ir para o bolso, o sonho de construir deixou de existir, o papa estava afastado por doença e os bispos radicais estavam longe", resumiu Marcel certa vez. Até mesmo alguns dos sócios da nova geração do banco, como Marcelo Barbará, hoje reconhecem que o dinheiro farto teve um efeito colateral:

"Eu fui o último a comprar um carro importado... Tinha uma Parati vinho, sem ar-condicionado, e todo mundo me sacaneava... Aí entrou aquele dinheiro todo e no mesmo dia eu comprei um Volvo e um Audi. Depois comprei a cobertura em que eu moro até hoje. Foi uma geração de riqueza extraordinária... Mas eu acho que o acúmulo de recursos na mão das pessoas atrapalhou o banco, tirou o foco da companhia..."

A semente da autodestruição estava plantada.

~

Em 1993, um ano antes do lucro recorde do banco, o economista Claudio Haddad foi escolhido por Jorge Paulo Lemann, Marcel Telles e Beto Sicupira como superintendente do Garantia. Em tese, abaixo do trio era ele quem dava as cartas na instituição. Àquela altura, Haddad acumulava 15 anos como funcionário do banco – primeiro como economista-chefe, depois como sócio responsável pela área de corporate finance e finalmente como principal executivo (de 1980 a 1982 Haddad se afastou temporariamente do Garantia para ocupar o posto de primeiro diretor de dívida pública do Banco Central).

Um dos talentos de Haddad era contratar outros economistas de primeira linha, como André Lara Resende. Filho do escritor mineiro Otto Lara Resende, André é formado pela PUC do Rio de Janeiro e tem o título de Ph.D. em economia pelo Massachusetts Institute of Technology, o MIT. Trabalhou no Garantia de 1980 a 1988 e, assim como Haddad, teve um hiato no banco, quando se dedicou à atuação no governo – ele foi um dos criadores do Plano Cruzado, em 1986, e, na década seguinte, faria parte da equipe que criou o Plano Real. Durante sua passagem pelo Garantia, André recrutou um jovem economista que mostrava tremendo potencial, Armínio Fraga. Doutor pela Universidade Princeton, Fraga ficou no banco por pouco mais de três anos. "Um aspecto que me chamava a atenção é que os três [Jorge Paulo, Marcel e Beto] faziam tudo de um jeito muito simples", diz ele, que ocupou a presidência do Banco Central do Brasil de 1999 a 2002. "No mercado financeiro brasileiro, não há dúvida de que a cultura vencedora foi essa que eles criaram." No campo da teoria econômica não havia rivais à altura do *dream team* do Garantia.

Jorge Paulo Lemann valorizava o refinamento e a consistência teórica que Haddad e os outros economistas estrelados traziam a um banco antes povoado por PSDs. O mundo começava a se globalizar, as operações financeiras se sofisticavam e era preciso ter gente que se adaptasse aos novos tempos – algo que nem todos os antigos funcionários conseguiram. "Quando saí, em 1991, eu vendia produtos que nem entendia o que eram", diz Rogério Castro Maia, ex-gerente comercial do banco. Era em grande medida graças à nova leva de profissionais bem formados que o banco conseguia entrar em áreas antes inexploradas. Uma grande reportagem publicada no jornal *Gazeta Mercantil* no início dos anos 90 analisou essa transformação:

"Mesmo mais recentemente, quando os ganhos com os títulos públicos encolheram, o mercado notou como o Garantia mostrava habilidade em criar negócios no setor privado com operações chamadas de engenharia financeira. Exemplos: debêntures, conversões de dívida externa, fundos estrangeiros. O Garantia foi o primeiro banco brasileiro a demonstrar agilidade nesse complexo terreno da engenharia financeira. Um pioneiro – hoje seguido nessa especialidade por alguns outros bancos..."

Embora Claudio Haddad parecesse ser o nome certo para liderar a tropa nesse mundo novo que se apresentava, sua escolha como superintendente não se deu sem que antes houvesse uma inflamada disputa pelo poder. O principal rival do economista na briga pelo cargo era o paulista Antonio Freitas Valle, conhecido como Tom, também ele um veterano no Garantia.

Aos 19 anos, enquanto cursava a faculdade de direito, Valle conseguiu um emprego no Banco Mercantil de São Paulo por indicação de seu pai, amigo de Gastão Eduardo de Bueno Vidigal, dono da instituição. Bastaram três meses para que o jovem percebesse que não tinha nada a ver com aquele lugar. Como a imensa maioria das empresas e dos bancos brasileiros da época, o Mercantil mantinha uma hierarquia rígida e as promoções eram oferecidas normalmente a quem tinha mais tempo de casa. "Para piorar, eu era obrigado a usar paletó o tempo todo", diz Valle. Foi quando o então namorado de sua irmã, corretor do Garantia, perguntou se ele não conhecia ninguém que estivesse a fim de ralar e ganhar dinheiro. O garoto se voluntariou na hora, para desgosto do pai, que via no robusto Mercantil a perspectiva de uma carreira mais sólida para o filho.

Valle começou a trabalhar no banco como liquidante, conforme mandava a regra do Garantia. Oficialmente seu local de trabalho era no pequeno escritório na rua São Bento, no centro de São Paulo, mas na prática o jovem passava quase o dia todo fora dali. "Eu era o único liquidante de carro. Rodava a cidade dirigindo o fusca do banco e fazia todo tipo de serviço que me mandavam, até comprar papel higiênico no Carrefour", lembra ele.

O que Haddad tinha de cautela Valle tinha de arrojo. Quando ele se casou, aos 23 anos, programou a lua de mel no Taiti antes mesmo de ter o dinheiro para pagar a viagem:

"Casei em novembro e ia receber a comissão do Garantia em dezembro. Para bancar a viagem fiz um 'papagaio' no [Banco] Nacional, contando com o dinheiro que entraria no mês seguinte... No fim deu tudo certo... Você não tem ideia das coisas que a gente consegue na vida sem fazer conta. Aliás, se fizer muita conta você não sai nem da casa dos pais..."

Para um sujeito com esse ímpeto, o caminho natural era a mesa de operações, de longe a área do banco com mais adrenalina. Ao contrário de Haddad, um acadêmico com rigorosa formação internacional, Valle nunca esteve muito interessado nos estudos. Abandonou o curso de direito logo que entrou no Garantia para estudar economia na Fundação Armando Álvares Penteado. Pouco tempo antes de se formar na FAAP, foi transferido para o Rio de Janeiro e não pensou duas vezes antes de abandonar a faculdade. Foi só em 1987, depois de muita insistência de Marcel Telles, que ele se matriculou num curso rápido em Harvard. O que lhe faltava em diploma sobrava em instinto para operar no mercado. Em 1989, com a ida de Marcel para a Brahma, Valle se tornou o grande responsável pela mesa. Se Claudio Haddad era o homem das ideias, Antonio Freitas Valle era o homem da ação.

A disputa entre os dois se tornou mais aberta em 1990, quando a sede do Garantia foi transferida do Rio para São Paulo e todas as áreas do banco começaram a funcionar sob o mesmo teto – até então a mesa de operações, controlada por Valle, ficava no Rio de Janeiro, e a área de corporate finance, comandada por Haddad, em São Paulo. Dois anos depois da mudança de endereço, uma manobra da corretora do Garantia na Bovespa fez com que Valle perdesse terreno. No dia 12 de fevereiro de 1992 a corretora tentou baixar artificialmente o valor das ações do Ibovespa, sobretudo da Telebrás. Presa a um contrato de venda futura do índice, ela ganharia se o Ibovespa caísse e perderia se o índice subisse. O problema era que a bolsa estava em alta e, quando a corretora fosse quitar a operação, perderia dinheiro. Entre 12h30 e 13h daquele dia, as corretoras Garantia e Talarico começaram a comprar e vender papéis entre si, com valor abaixo do mercado (no jargão financeiro, uma operação conhecida como "Zé com Zé"). A Bovespa percebeu a movimentação estranha, interrompeu o pregão e imediatamente cobrou explicações dos envolvidos. Na sequência, abriu dois processos administrativos contra as duas empresas (números 001/92 e 002/92). O estrago estava feito.

O caso de manipulação do pregão ganhou as páginas da imprensa. Jorge Paulo Lemann, segundo a descrição de um ex-sócio do banco, ficou "lívido" com o episódio. Ter sua credibilidade arranhada é sempre um enorme risco para uma instituição financeira. Naqueles tempos a situação era ainda mais delicada – o caso do especulador Naji Nahas, acusado de ser o responsável pela quebra da bolsa do Rio em

1989, ainda estava fresco na memória do mercado. Aplicar um corretivo no Garantia, um banco arrogante e supostamente invencível, era, portanto, um prato cheio para a Bovespa e serviria como exemplo para todos os agentes do setor financeiro.

Para se defender o banco contava com pareceres técnicos dos economistas Affonso Celso Pastore e Mário Henrique Simonsen, e também da KPMG. Embora Tom Freitas Valle não tenha sido o operador diretamente envolvido na manobra – esse papel coube a quem estava no pregão –, como chefe da mesa ele também foi responsabilizado. A artilharia contra Tom não vinha apenas da Bovespa e da CVM. Alguns sócios do Garantia se aproveitaram da situação para botar mais lenha naquela fogueira. Uma declaração feita à época por Claudio Haddad dava bem o tom do clima que se instaurou no banco: "Operador, para nós, é todo mundo – do pessoal de pregão e de mesa até o diretor." O jovem sócio Fernando Prado, conhecido dentro do banco tanto pela inteligência quanto pelo temperamento explosivo, era um dos mais dedicados a minar a credibilidade de Valle, seu chefe direto. "O Fernando [Prado] queria o lugar do Tom [Freitas Valle] e insuflou o quanto pôde para prejudicá-lo", diz um ex-Garantia de alto escalão.

Para acalmar os ânimos dentro e fora do banco, a solução foi despachar Valle, então com 35 anos, para uma espécie de exílio em Harvard (a Bolsa de Valores de São Paulo concluiu que houve manipulação de mercado e uma das punições impostas à corretora Garantia foi a suspensão dos envolvidos no episódio). Valle ficou nos Estados Unidos por seis meses. Quando retornou, seu cargo havia sido esvaziado – as atividades que ficavam sob sua supervisão foram divididas entre Fernando Prado, Eric Hime e Luiz Alberto Rodrigues, conhecido como Careca (Rodrigues faleceu num acidente de moto, no deserto do Atacama, em 2010). Não havia mais clima para que Valle continuasse no banco e muito menos para que se mantivesse na disputa pela posição de superintendente. Tom vendeu suas ações e foi cuidar da vida. Segundo pessoas próximas, o financista saiu com cerca de 15 milhões de dólares no bolso – ele desconversa quando perguntado sobre a cifra. "Eu não tenho mágoas, aquilo ali foi uma coisa profissional... Mas eu virei adulto depois daquele acontecimento", afirma.

Ao deixar o Garantia, Valle era um homem rico. Tanto que chegou a pensar em se aposentar. Dois meses depois, porém, já estava envolvido em outro negócio. Ao lado de André Lara Resende e Luiz Carlos Mendonça de Barros, fundou o Banco Matrix, onde incorporou os princípios que aprendera no Garantia. O Matrix ganhou as páginas dos jornais e revistas da década de 90 não só pelos resultados espetaculares – começou com um patrimônio de 8 milhões de dólares e dois anos depois já ultrapassava 100 milhões –, mas pelas polêmicas em que se envolveu. Como dois de seus principais sócios – Mendonça de Barros e Lara Resende – tiveram experiências anteriores no governo, havia a suspeita de que as apostas certeiras do banco em câmbio, juros e títulos da dívida pública eram mais obra de informações privilegiadas que de talento da equipe. Nada nesse sentido jamais foi provado e, mesmo depois da saída de Mendonça de Barros, em 1995, e de Lara Resende, em 1997, o Matrix continuou uma máquina de fazer dinheiro.

Em 1999 Tom Freitas Valle novamente se encontraria no epicentro de uma investigação. Naquele ano o então deputado petista Aloizio Mercadante encabeçou uma CPI para investigar uma série de bancos brasileiros que teriam sido beneficiados por informações privilegiadas na maxidesvalorização do Real, entre eles o Matrix. "Todo dia tinha gente do Banco Central em cima, a fiscalização era diária. Foi um desgaste enorme", diz Valle.

No caso do Matrix a investigação deu em nada. Mas o pente fino nas operações de várias instituições financeiras levou para a cadeia um dos grandes banqueiros dos anos 90, o milanês Salvatore Cacciola, dono do Marka. Seu banco teve um rombo gigantesco depois da desvalorização do real, no início de 1999. Para tapar o buraco, Cacciola recorreu ao Banco Central, que lhe vendeu dólares a valores abaixo do mercado – uma ajuda que custou aos cofres públicos 1,5 bilhão de reais. Na CPI foi lama para todo lado. Sobrou para vários diretores do Banco Central, inclusive Francisco Lopes, presidente do órgão. Inicialmente condenado a 13 anos de prisão por peculato e gestão fraudulenta, Cacciola passou vários anos foragido na Itália até que foi preso no Brasil em 2008. Ficou quatro anos encarcerado na Penitenciária Pedrolino Werling de Oliveira, mais conhecida como Bangu 8, e em 2011 ganhou liberdade condicional.

Com o desgaste na CPI, as sucessivas crises financeiras internacionais e o acirramento da concorrência de bancos de investimentos estrangeiros no Brasil, Valle decidiu encerrar a carreira de banqueiro em 2001. Durante os oito anos em que o banco operou, ele ganhou muito dinheiro. Segundo pessoas próximas, sua fortuna pessoal em 2012 girava em torno de 500 milhões de dólares. "Dos sócios do Garantia que deixaram o banco, Tom foi quem se deu melhor", diz um de seus antigos colegas na instituição. Hoje ele se dedica a administrar um fundo de investimentos, composto em boa medida pelo seu próprio patrimônio.

~

Até meados dos anos 90 o Banco Garantia foi o exemplo mais bem acabado de um banco de investimentos brasileiro. Ele tinha os melhores economistas, os melhores operadores, os melhores executivos. Seus resultados eram sempre formidáveis, muito acima da média do mercado. Sua influência podia ser percebida não apenas no Brasil, como no exterior. Seu prestígio era tamanho que, em 1994, o banco trouxe para o país a ex-primeira-ministra britânica Margaret Thatcher, para um encontro com empresários locais. Uma reportagem do jornal *Folha de S.*

Paulo da época descreve o banco desta forma: "Veloz nas decisões, impiedoso com os adversários, joga para matar. Um verdadeiro 'serial killer'."

Não se faz muitos amigos quando se é um "serial killer", mas isso nunca incomodou os sócios do Garantia. A maior preocupação dos novos milionários forjados no banco era ficar ainda mais milionários. Para alcançar essa meta, as operações financeiras se tornaram mais arriscadas – como a turma ali se julgava invencível, aumentar as apostas parecia algo banal. "Eles [o Garantia] eram muito grandes, iam até o limite, e a turma não gostava daquele pessoal, não", diz um ex-executivo de um antigo banco concorrente.

Foi principalmente depois da saída de veteranos como Antonio Freitas Valle que os sócios Fernando Prado e Eric Hime se transformaram em líderes informais da nova geração do banco. Os dois eram aliados dentro da instituição e amigos fora dela. Com eles, o natural apetite do Garantia pelo risco alcançou patamares até então desconhecidos. Prado estava à frente da área de corporate finance; Hime era o gênio na mesa de operações (ele foi o profissional mais jovem a se tornar sócio do banco, aos 24 anos). Segundo vários ex-Garantia, na segunda metade da década de 90 a dupla era responsável por supervisionar cerca de 80% das receitas do banco.

Um traço da cultura do Garantia que Prado e Hime sempre cultivaram foi a aversão à hierarquia rígida. Ambos faziam questão de agir por conta própria, sem dar muitas satisfações a Claudio Haddad, o superintendente do Garantia. "O Claudio nunca trabalhou na 'cozinha' do banco (a mesa de operações), então era difícil pra ele controlar o que a garotada estava fazendo. E, enquanto o dinheiro entrava a rodo, nenhum dos sócios principais se incomodou com a situação", diz um ex-Garantia.

Um episódio em particular deixou nítido que Prado e Hime não tinham o menor pudor em constranger o chefe. Uma vez ao ano o banco promovia o chamado Fim de Semana BIG (Banco de Investi-

GARANTIA - 25 ANOS

Completamos 25 anos neste mês de junho. Durante este período a organização aprendeu muito, gerou riqueza para os seus clientes, para o país, para os seus associados e sócios. Os 25 anos passados foram ótimos, mas prefiro imaginar que os próximos 25 serão melhores ainda. Algumas das coisas que aprendemos nos últimos 25 anos certamente serão úteis para frente. Não custa nada relembrar um pouco.

Correr atrás. Mal começamos a corretora em 1971 e o negócio principal, que seria a corretagem de bolsa, desapareceu, e não tínhamos mais um negócio. Solução: correr (muito) atrás de outras oportunidades.

Escolher áreas novas onde se tenha vantagem competitiva e dê para ser um dos melhores. Em 1971 não tínhamos mais um negócio. Investíamos na área de títulos públicos que começava a engatinhar e que mais tarde, virou um grande negócio. Por outro lado não dá para ser tudo para todos. Temos de ser seletivos.

Uma sociedade na qual todos remam na mesma direção. A sociedade foi feita às pressas em 1971 porque o JPL não tinha dinheiro para comprar a patente de corretora sozinho. Logo começou a fazer água. Alguns sócios queriam expandir, outros não. Alguns queriam trabalhar, outros não. Solução: comprar os sócios e começar de novo com gente diferente, mas entrosada e construtiva.

Ser dono do próprio destino. Em 1976 tivemos a oportunidade de nos associar a um dos melhores bancos comerciais americanos. Na época, nossa capitalização era de US$ 5 milhões. Seria uma alavancagem enorme a curto prazo. Optamos por tocarmos para frente sozinhos. Ainda bem.

Gente boa atrai gente boa. Os novos sócios, escolhidos a dedo, começaram a funcionar e o negócio a crescer. Fui muito pressionado para incluir alguns "medalhões" e nomes bonitos na organização, que virou banco de investimentos em 1976. Nada disso. Fomos com a prata da casa criando a grande maioria dentro de casa e, eventualmente, adicionando um sangue de fora, novo e bom para revigorar, especialmente com tecnologia não disponível em casa. Todas essas pessoas excepcionais atraíram mais gente boa.

O sistema de avaliação é uma peça fundamental de nossa organização. Como julgar e avaliar tanta gente boa? O sistema atual de avaliação, comissões e sociedade foi aprimorado através do tempo. Este sistema é duro às vezes, mas não tenho dúvida de que foi peça fundamental para nosso sucesso. Certamente o sistema será ainda mais aprimorado no futuro, mas gradualmente.

Em 1996, Jorge Paulo Lemann fez uma análise sobre as razões para o sucesso do Garantia. Ele só errou na previsão sobre o destino da instituição. "Tenho certeza que o Garantia será uma organização excepcional em termos mundiais nos próximos 25 anos", escreveu. O banco seria vendido ao Credit Suisse dois anos depois dessa previsão.

Ética, Ética, Ética. A pressão para participarmos de operações esquisitas, especialmente no início, era enorme. O mercado estava cheio e nossos concorrentes, às vezes, estavam lavando. Como iríamos construir uma organização duradoura e com ética, externa e interna, entre as pessoas, se participássemos de operações esquisitas? Optamos por correr atrás de operações reais e não fictícias. Os concorrentes que se contentaram com as fictícias ficaram para trás.

Back office, retaguarda com prestígio. Sem uma boa retaguarda, os melhores operadores e vendedores do mundo arrebentam qualquer organização. Sempre tentamos dar força à retaguarda. No início eram considerados os "bundões do andar de baixo". Melhoramos isto juntando as várias áreas e dando força para a área administrativa. Acredito que hoje em dia tenhamos uma das melhores administrações financeiras do país.

Criar gente e "segundos". Os que mais progrediram na organização foram os que criaram negócios e gente. O operador brilhante é maravilhoso, mas se opera sozinho vai progredir menos do que aquele que se multiplica dentro da organização, e com isto cria novas oportunidades para ele e para os outros.

A importância do cliente. Isto foi talvez o que mais demorou para aprendermos. Sendo *traders* no início, o cliente era irrelevante. Demorou para compreendermos que mercado também pode ser cliente e que cliente é importantíssimo para trazer informações, negócios e lucros para a empresa. Hoje em dia estamos muito melhores, mas ainda há espaço para melhorar.

Erros ou Dúvidas. É sempre bom olharmos os erros para corrigí-los no futuro. Não vejo erro enorme no passado. Talvez devêssemos ter ido para o exterior mais cedo e com mais consistência. Perdemos algumas pessoas boas na nossa história, mas a organização continuou e ninguém é indispensável na empresa. Ela é maior do que qualquer indivíduo.
A necessidade de trilhar uma linha de equilíbrio entre capitalizar a instituição o suficiente sem torná-la grande demais para atrair novos sócios excepcionais, e ao mesmo tempo, distribuir os resultados sem prejudicar o negócio principal, nos obrigou a efetuar algumas acrobacias estruturais. O veredicto sobre esta política ainda não é claro. Só o tempo dirá, mas tudo pode ser resolvido com bom senso, como temos feito até agora.
Estou convencido que os próximos 25 anos serão melhores do que os últimos 25. Correndo atrás, desenvolvendo novas oportunidades, atraindo e criando gente boa que trabalha bem em conjunto, gerando riqueza para o cliente, os associados e o país, dando importância à retaguarda e novas tecnologias, mantendo uma ética interna e externa irrepreensível, e mais do que tudo, usando o bom senso para administrar dificuldades ou mudanças que sempre existirão, tenho certeza que o Garantia será uma organização excepcional em termos mundiais nos próximos 25 anos.

Jorge Paulo Lemann

mentos Garantia), em que se discutia o futuro da instituição. Os encontros aconteciam em hotéis e todos os funcionários eram convidados a participar. Durante o dia o trabalho era intenso, mas à noite o pessoal relaxava. No evento de 1993 a algazarra foi tamanha que houve até queima de fogos na noite de sábado. Incomodado com o barulho, na manhã seguinte Haddad reclamou com o pessoal. A queixa serviu apenas como combustível para alimentar a bagunça no futuro. No encontro do ano seguinte, realizado no hotel Villa Rossa, em São Roque, no interior paulista, não apenas houve uma reedição da queima de fogos como o foguetório se deu embaixo da janela do quarto em que Haddad dormia. "Era um constrangimento, porque afinal o Claudio era o principal executivo do banco... Mas ficava tudo por isso mesmo. O Jorge [Lemann] via e não falava nada", diz um ex-funcionário da instituição. A "tradição" de atrapalhar o sono de Haddad acabou depois do Fim de Semana BIG de 1996, quando a queima de fogos foi de tal magnitude que contou até com o acompanhamento do Corpo de Bombeiros local.

~

Nenhuma companhia acaba da noite para o dia – e com o Garantia não foi diferente. Foram necessários anos de desgaste dos princípios de sua cultura para que a instituição finalmente se mostrasse vulnerável. Esse momento chegou em 1997, quando uma crise inesperada atingiu a Ásia – e o Garantia sentiu da maneira mais dolorosa possível os efeitos colaterais da globalização. Acostumado a vencer, vencer e vencer, o banco exagerou nas apostas e foi pego de surpresa com a virada do mercado. Controle de risco? Precaução? Pensamento de longo prazo? Nada disso fazia parte do vocabulário da mesa de operações do banco naquele momento. Era como se a arrogância, o dinheiro farto e a certeza da invencibilidade tivessem desligado os sensores de perigo.

Depois de acionado o gatilho da crise na Tailândia, em julho daquele ano, a economia do Sudeste Asiático afundou rapidamente. O colosso criado por Jorge Paulo Lemann foi a reboque. Ao longo de muito tempo o Garantia ganhou dinheiro com carteiras de C-bonds (títulos da dívida externa brasileira), financiadas a curto prazo, por meio de uma operação conhecida no setor financeiro como "repo" (*repurchase agreement*). O mecanismo funcionava da seguinte maneira: o vendedor (no caso o Garantia) oferecia aos donos dos títulos o direito de vendê-los no futuro por um valor preestabelecido. Como o valor futuro era ligeiramente inferior ao valor presente, a operação servia como uma espécie de seguro para o dono do papel – se houvesse uma grande desvalorização súbita, bastava que ele exercesse o direito de venda pelo valor combinado com o banco, minimizando sua perda.

Enquanto o mercado financeiro ia bem e os papéis ganhavam valor, o Garantia não tinha com o que se preocupar e se alavancou exageradamente com essa operação. O problema foi que, com a virada internacional, os preços despencaram. O banco teve então que pagar aos investidores a diferença entre o que estava combinado em contrato e o que o mercado de fato pagava por aqueles papéis. Quanto mais o Garantia vendia os C-Bonds para honrar os compromissos, mais o preço do papel caía. Essa espiral só acabou quando o banco zerou totalmente sua posição. O estrago estava feito. As perdas admitidas pela instituição em 1997 chegaram a 110 milhões de dólares (as estimativas do mercado eram de que o valor total alcançou algo em torno de 500 milhões de dólares).

Para tapar parte do buraco e mostrar aos investidores que continuavam firmes, os sócios injetaram do próprio bolso 50 milhões de dólares na instituição. O caixa até podia ser refeito, mas a perda de credibilidade foi devastadora. Pela primeira vez o Garantia deixava claro que, como qualquer outro agente financeiro, não era inabalável. Assustados, muitos investidores sacaram suas economias do banco (ou, em alguns casos, o que sobrou delas). No segundo semestre daquele ano, o patrimônio dos fundos administrados pelo Garantia caiu pela metade – de 4,5 bilhões de reais em junho para 2,2 bilhões de reais em dezembro. O lucro também despencou: foi de 11 milhões de dólares, um décimo do resultado do ano anterior.

O clima no banco era o pior possível. Eric Hime, o responsável pela mesa de operações e mentor da manobra que fez água, ficou tão abalado que passou dias sem dar as caras. Jorge Paulo Lemann, normalmente conhecido pelo sangue-frio, explodiu: "Com meu nome e meu dinheiro vocês não vão brincar", gritou com os sócios. A verdade é que, distantes do dia a dia da instituição havia alguns anos, Jorge Paulo, Marcel e Beto foram pegos de surpresa – algo que, como principais acionistas da instituição, eles jamais deveriam ter deixado acontecer. Nos primeiros dias depois do estouro da crise, o trio chegou a voltar para a mesa de operações para tentar contornar o estrago, mas já era tarde demais. Pelo menos uma dezena de pessoas que trabalharam no Garantia ou conheceram o banco de perto acreditam que o colapso jamais teria acontecido se Marcel Telles, o homem que durante anos havia comandado a mesa com maestria, ainda desse expediente na instituição. Talvez por isso, até hoje Marcel evite falar sobre esse assunto. "Ainda sou muito passional sobre isso", justifica ele.

Jorge Paulo Lemann, até então o banqueiro modelo do mercado, parecia ter perdido seu "toque de Midas", como se disse à época. O homem admirado, respeitado e até temido agora tinha que dar explicações e encontrar saídas para a crise. Uma das pessoas que ele procurou para pedir ajuda foi o antigo rival Antonio José Carneiro, o Bode, que acabara de vender o Multiplic para o Lloyd's (apesar de concorrentes, ambos sempre se deram bem e até hoje são vizinhos em Angra dos Reis, onde têm casas de veraneio):

"O Jorge me ligou e disse que o banco não tinha um problema, que era só uma questão de liquidez... Mas o mercado não queria nem saber... Numa hora dessas, se retrai todo. Nós, com a venda do Multiplic, tínhamos 600 milhões de dólares em caixa. Aplicamos tudo no Garantia. Não em operações de risco, mas no CDI, para dar liquidez aos títulos que eles tinham. A gente tinha confiança neles e decidiu correr o risco de pôr o dinheiro ali. Para eles foi importante... O Jorge reconhece isso até hoje..."

Os investidores que perderam dinheiro ficaram inconformados. Alguns meses depois do começo da crise, Jorge Paulo teve de lidar com um cliente antigo – e insatisfeito – durante uma partida de tênis do torneio de Roland Garros, em Paris. Lemann estava no camarote de Antonio Carlos de Almeida Braga, o Braguinha, fundador do Banco Icatu e um fervoroso admirador de tênis. Durante um intervalo, os dois conversavam com o especulador Naji Nahas quando um casal de conhecidos de Braguinha se aproximou. Ao reconhecer Jorge Paulo, a mulher o chamou de ladrão e perguntou quando teria seu dinheiro de volta. O banqueiro nada respondeu. Cabisbaixo, saiu do camarote e foi embora sem terminar de assistir ao jogo.

Constrangimentos ainda maiores estariam por vir. Um dos clientes que fez questão de demonstrar publicamente seu descontentamento com o desempenho do Garantia foi o ex-piloto de Fórmula Indy Raul Boesel, na época patrocinado pela Brahma. No dia 26 de setembro de 1997 Boesel telefonou para o banco e descobriu que metade dos 3 milhões de dólares que aplicara ali – quase todo o seu patrimônio – tinha virado pó. Desesperado, ele tentou aproveitar as boas relações que tinha na Brahma para resolver o problema. Procurou Marcel Telles na sede da cervejaria, em São Paulo, em busca de ajuda. Marcel o recebeu, disse que analisaria o caso e pediu que voltasse dois dias depois. Na data combinada, Boesel retornou ao escritório do empresário, mas a resposta que o principal executivo da Brahma e sócio do

Garantia lhe deu foi desanimadora: nada poderia fazer para ajudá-lo. Boesel ficou furioso. Como morava em Miami, entrou com uma ação contra o Garantia nos Estados Unidos. Receoso de novos tombos, resgatou o resto do dinheiro que ainda estava aplicado no banco.

A disputa entre o piloto e o Garantia vazou para a imprensa, o que azedou de vez a relação de Boesel não só com o banco, mas com a Brahma – a cervejaria rompeu o contrato de patrocínio poucos meses depois do começo da queda de braço. A principal acusação de Boesel era de que o Garantia nunca avisou que seu dinheiro seria colocado em fundos de alto risco. "Hoje coloco meu dinheiro em bancos confiáveis, em investimentos seguros. Ganho menos, mas durmo mais tranquilo", diz ele, que em 2008 abandonou as pistas de corrida e se tornou DJ. Segundo pessoas próximas, graças a um acordo firmado entre as partes anos depois, Boesel recebeu do banco o equivalente a 10% do que perdeu.

O banco invencível havia se tornado vidraça e a imprensa se refestelou com as más notícias. Jorge Paulo e seus sócios, que sempre fizeram questão de manter os jornalistas à distância, tiveram que engolir o velho hábito. Um artigo publicado pela revista *Exame* em 1998 fez uma análise mordaz dessa mudança de comportamento: "Foi patético ver o outrora altivo e inacessível grupo correr atrás, nos últimos tempos, de uma assessoria de imprensa. Só a mais dura necessidade, só uma jornada formidavelmente penosa poderia explicar a busca de uma assessoria."

Com a imagem do banco inexoravelmente arranhada, Jorge Paulo tentou colocar em prática um plano que acalentava desde que ficara doente, em 1994: transferir o controle da instituição para a geração mais jovem antes que fosse tarde demais. Sua ideia era que a garotada pudesse reconstruir o nome da instituição, enquanto ele, Marcel e Beto passariam a se dedicar apenas aos seus negócios na economia real. Era um plano que trazia embutida também a preocupação em

*Jorge Paulo Lemann na juventude. Aluno do curso de economia em Harvard,
concluiu os estudos em apenas três anos. Foi na universidade americana que ele percebeu
a importância de se cercar de gente boa e ter planos ambiciosos de crescimento.*

Luciana Leal / Agência O Globo

Gazeta Press

EM SENTIDO HORÁRIO:

Luiz Cezar Fernandes, um dos primeiros e mais importantes sócios do Banco Garantia; Jorge Paulo, que começou a jogar tênis aos 7 anos e quase se tornou profissional; Beto Sicupira, que entrou no Garantia em 1973 e foi o responsável por comandar a Lojas Americanas quando a instituição financeira comprou a varejista.

Paulo Jares / Abril Comunicações S/A

A pesca submarina aproximou os sócios Beto Sicupira, Marcel Telles e Jorge Paulo Lemann nos primeiros anos do Garantia (no alto). Até hoje eles praticam o esporte juntos.

Marco Antônio Teixeira / Agência O Globo

Eurico Dantas / Agência O Globo

O jogador de futebol Raí e a jogadora de basquete Hortência se divertem no camarote da Brahma, no Carnaval do Rio de Janeiro; detalhe da decoração de uma das primeiras edições do evento inspirada no slogan "a número 1"; celebridades como o piloto de Fórmula 1 Ayrton Senna faziam do camarote o espaço mais badalado da Marquês de Sapucaí.

Márcia Foletto / Agência O Globo

Capa da revista Exame, em 1999, após a compra da Antarctica pela Brahma e a criação da Ambev. A aquisição foi o maior negócio realizado até então entre empresas brasileiras.

Marcel Telles e Victório De Marchi (ex-Antarctica) assumem a copresidência do conselho de administração da Ambev (no alto); o consultor Vicente Falconi chegou à Brahma nos anos 90 e desde então tem desempenhado um papel importante para o crescimento da companhia (embaixo).

Em março de 2004 a belga Interbrew comprou a Ambev. Carlos Brito
e Victório De Marchi (no alto) comemoram o negócio em São Paulo, enquanto
Marcel Telles e John Brock, então CEO da cervejaria europeia, anunciam
a transação na Europa (embaixo).

Jorge Paulo e a esposa, Susanna, acompanhados de Fernando Henrique e Ruth Cardoso, viajam pela China em 2008 (acima). Enquanto eles passeavam pelo deserto de Gobi, a notícia de que a InBev preparava uma oferta para comprar a Anheuser-Busch vazou na internet.

Carlos Brito, à época CEO da InBev, vai a Washington explicar aos congressistas americanos os detalhes da proposta de compra da Anheuser-Busch. Na saída é cercado por jornalistas que o pressionam para saber o destino da cervejaria americana.

O executivo brasileiro começou a trabalhar no Garantia no final dos anos 90 e foi um dos primeiros a ir para a Brahma quando o banco comprou a cervejaria.

Paulo Fridman

O pessoal do Garantia em dois tempos. Acima, em 1996, da esquerda para a direita: Roger Wright, Cláudio Haddad, José Olympio Pereira, Jorge Paulo Lemann, Fernando Prado e Andrew Shores.

Ao lado, almoço de confraternização entre ex-funcionários do banco, em 2010. Na foto de cima aparecem Armínio Fraga, Rogério Castro Maia, Jorge Paulo Lemann, José Carlos Ramos da Silva e André Lara Resende. Embaixo, Diniz Ferreira Baptista, Eric Hime e Bruno Rocha.

Warren Buffett e Marc Lemann, filho de Jorge Paulo. Em 2009 Marc fez uma análise da Heinz durante um estágio no 3G. Sua recomendação na época foi a compra de ações da companhia. Em 2013, o 3G se associou ao investidor americano para adquirir a fabricante de alimentos por 28 bilhões de dólares.

Embora há anos não ocupe nenhum cargo executivo na Ambev, Marcel continua participando da gestão da companhia. Faz questão, por exemplo, de se envolver na seleção final do programa de trainees (abaixo, ele aparece no canto direito, sentado no chão).

Pedro Rubens / Abril Comunicações S/A

Fernando Cavalcanti

Germano Luders / Abril Comunicações S/A

Mastrangelo Reino / Folhapress

Beto Sicupira em foto de 2010 com o pessoal da Endeavor, ONG de apoio ao empreendedorismo que ele trouxe para o Brasil há pouco mais de uma década. Nos últimos tempos, ao lado de empresários como Jorge Gerdau, também tem se dedicado a projetos de melhoria da gestão pública.

Luiz Fernandes / Andujar Press

Jorge Paulo Lemann ainda joga tênis diariamente. Em setembro de 2012, venceu um campeonato em São Paulo na categoria sênior (acima). O empresário também acompanha os principais torneios do circuito mundial e se tornou próximo de jogadores como Roger Federer.

Com fama de banco agressivo e eficiente, o Garantia ganhou espaço também no exterior. Em 1994, a convite de Jorge Paulo Lemann, a ex-primeira-ministra britânica Margaret Thatcher veio ao Brasil para um encontro com um grupo de empresários.

Cada vez mais envolvido com iniciativas ligadas à educação, Jorge Paulo Lemann recebeu a presidente de Harvard, Drew Faust, em 2011. Uma reunião com a presidente Dilma Rousseff fez parte da programação da americana.

Aos 73 anos, o ex-surfista Jorge Paulo Lemann se tornou o homem mais rico do Brasil. O estilo de gestão que ele começou a forjar há mais de quatro décadas agora se espalha pelo mundo por meio das companhias que adquiriu nos Estados Unidos – AB InBev, Burger King e Heinz.

proteger os investimentos do trio na Brahma e na Lojas Americanas. De acordo com a legislação brasileira, no caso de quebra de um banco, todo o patrimônio pessoal de seus donos pode ser utilizado para cobrir o rombo. Em outras palavras, se o Garantia quebrasse, o trio poderia perder muito mais do que o banco.

O problema da proposta de Jorge Paulo é que ela não interessava aos sócios mais jovens. "O Jorge queria que fosse pago não apenas o valor das ações, mas também um prêmio pelo controle. Aí não houve acordo", diz uma fonte próxima às negociações. Chega a ser quase uma ironia que alguém como ele, tão preocupado em formar gente e forjar uma cultura forte, não tenha conseguido perpetuar a instituição que criou. Numa entrevista em 2001, o banqueiro falou sobre esse episódio:

"O pessoal [mais jovem] realmente queria ter um 'pai', alguém que bancasse o negócio... Eles queriam embolsar o dinheiro, o capital que já tinham, e arrumar outra empresa grande ou alguém com muito capital, com quem eles poderiam continuar fazendo o que vinham fazendo, mas sem colocar em risco o próprio capital deles. Francamente, para mim isso foi uma decepção..."

O trio não queria mais permanecer, os sócios mais novos não queriam assumir o banco. O impasse estava instalado. O conceito de *partnership*, que durante décadas havia funcionado tão bem, se esgarçou rapidamente, a ponto de não fazer mais qualquer sentido. Como um banco com a imagem desgastada poderia enfrentar o acirramento da concorrência no novo mercado global que se impunha? Ao Garantia só restava procurar um novo dono, assim como acontecera com o americano Salomon Brothers, que depois de um escândalo envolvendo operações irregulares com títulos do Tesouro americano foi vendido ao Travelers Group.

O candidato mais óbvio à compra do Garantia era o Goldman

Sachs. O banco americano foi a grande inspiração de Jorge Paulo para criar o Garantia e as duas instituições eram muito próximas – o ex-sócio do Garantia Bruno Rocha, dono da administradora de recursos Dynamo, chegou a ter uma sala na sede do banco americano, em Nova York, durante 18 meses no início da década de 90, quando os dois bancos ensaiaram uma joint venture. Apesar das semelhanças de estilo e da proximidade das duas instituições, as negociações não prosperaram. Com a perspectiva de uma onda de privatizações no país, outros bancos estrangeiros, como o também americano Morgan Stanley, chegaram a analisar a compra. Mas foi o suíço Credit Suisse First Boston que finalmente arrematou o Garantia, no dia 9 de junho de 1998, por 675 milhões de dólares. Jorge Paulo jamais se esqueceu dessa data. "Foi muito triste. Aquilo era uma paixão. Foi construído com o maior carinho e foi suado pra burro", disse ele anos depois.

Pelo acordo, os sócios mais antigos – Jorge Paulo, Marcel, Beto e Claudio Haddad – deixariam o banco imediatamente. O trio passaria a se dedicar integralmente à Brahma, à Lojas Americanas e à GP Investimentos. Haddad se afastou do mercado financeiro para se dedicar à educação e se tornou presidente do Insper, instituição educacional voltada para cursos de graduação e pós-graduação erguida com doações de vários ex-Garantia (a principal sala de aula do Insper foi batizada de Jorge Paulo Lemann). Embora tenham ganhado um bocado de dinheiro com a venda – estima-se que só Jorge Paulo tenha embolsado 200 milhões de dólares –, passar o Garantia para a frente trouxe ao trio uma até então desconhecida sensação de fracasso.

Os outros 15 sócios remanescentes deveriam ficar no CSFB por até três anos – e, pelo menos financeiramente, também não tiveram do que reclamar. O banco suíço se comprometeu com esse grupo a pagar 300 milhões de dólares desde que determinadas metas fossem atingidas. "O Goldman Sachs pretendia dispersar o que a gente tinha no

Garantia, era um modelo de integração imediata e total com o banco comprador", diz Marcelo Medeiros, um dos ex-Garantia que migraram para o banco suíço. "Mas o Credit Suisse percebeu que havia mais valor em manter o banco como era e nos deu total autonomia durante três anos." As metas estabelecidas pelo Credit Suisse para os brasileiros foram alcançadas um ano antes do prazo. Quatro dos beneficiados – Eric Hime, Fernando Prado, Luiz Alberto Rodrigues e José Ricardo de Paula (conhecido no mercado como "Ricardinho") – decidiram comemorar a conquista em grande estilo. Cada um deles se deu de presente uma Ferrari 360 Modena, "brinquedinho" vendido na época por 330 mil dólares. Pouco tempo depois, já livres das amarras contratuais e com o bolso cheio, a maioria dos ex-Garantia deixou o Credit Suisse. Apenas quatro sócios decidiram permanecer por mais dois anos: Marcelo Medeiros, Marcelo Barbará, Andrew Shores e Carlos Castanho. Ainda que quase 15 anos depois da aquisição não exista mais nenhum ex-sócio do Garantia no Credit Suisse, a operação brasileira do banco suíço ainda conta com profissionais que fizeram carreira na instituição criada por Jorge Paulo Lemann. Entre eles estão José Olympio Pereira, um ex-comissionado do Garantia que hoje ocupa o posto de presidente do Credit Suisse, e Marcelo Kayath, ex-analista atualmente responsável pelas áreas de renda fixa e variável do banco para a América Latina.

Muitas das reportagens publicadas em jornais e revistas na ocasião da venda do Garantia concluíam que o fim do banco era o resultado da mudança pela qual o Brasil passava – de uma economia fechada para um mundo globalizado e mais competitivo, em que corporações locais não tinham fôlego para disputar espaço com gigantes mundiais. Uma nova era surgia e o banco de Jorge Paulo Lemann não conseguiu se adaptar a ela. Essa análise pode fazer sentido à primeira vista, mas ela apenas arranha a verdade. O Garantia não morreu por causa da globalização nem por conta do acirramento da concorrência. O Garantia desapareceu porque se deslumbrou com o próprio sucesso. Porque seus principais sócios se afastaram do negócio e deixaram o barco correr solto. Porque boa parte da nova geração estava mais interessada em engordar seu patrimônio pessoal do que em perpetuar a instituição. Vários pilares da cultura que fez do Garantia o maior banco de investimentos da época ruíram – simplicidade, foco, dedicação total à firma, valorização da sociedade acima de qualquer coisa. Os princípios que nortearam o surgimento e o crescimento se esfacelaram com o passar dos anos.

Quem matou o Garantia foi o próprio Garantia.

~

Pouco depois do fim do Garantia, Jorge Paulo Lemann teve que lidar com outra situação dramática – dessa vez no campo pessoal. No dia 9 de março de 1999, no caminho de casa para o colégio, seus três filhos mais jovens – Marc, Lara e Kim, então com 7, 6 e 3 anos – sofreram uma tentativa de sequestro. No trajeto do Jardim Europa, onde moravam, até a Escola Graduada, no Morumbi, um Tempra preto fechou o Passat prata blindado em que as crianças seguiam. Dois homens desceram do automóvel e gritaram para que o motorista das crianças, José Aureliano dos Santos, saísse do carro. Aureliano dos Santos desobedeceu e os bandidos começaram a atirar. Segundo jornais da época, foram disparados 15 tiros, com balas de .40 e 9 milímetros. Acuado, o motorista tentou dar ré – e então notou que outro veículo o bloqueava atrás. Foram segundos de pânico. As crianças choravam no banco de trás do carro. Apesar da situação dramática, o motorista, que havia feito um curso de direção defensiva, conseguiu escapar. Os filhos de Jorge Paulo saíram ilesos, mas o motorista foi ferido por duas balas que atravessaram o vidro do carro.

Ao saber do acontecido, Jorge Paulo, apesar de preocupado, manteve a calma. Depois de se certificar de que os filhos estavam bem, foi com o motorista até o 15º Distrito Policial de São Paulo. Em seguida as crianças foram para a escola e ele, para o trabalho. A despeito do drama familiar, manteve sua agenda do dia praticamente inalterada. "Eu tinha uma reunião marcada com ele e, quando cheguei, a secretária disse que o Jorge Paulo atrasaria um pouco", lembra o executivo Luiz Kaufmann, que à época acertava seu ingresso na GP Investimentos. "Ele chegou uma hora depois e conduziu a reunião normalmente, sem comentar nada do que havia acontecido."

Apesar da aparente frieza, Jorge Paulo temia pelo futuro da família. No dia seguinte à tentativa de sequestro, tomou um avião com a esposa e as três crianças rumo aos Estados Unidos. Desde então, eles nunca mais fixaram residência no Brasil. (Os três filhos mais velhos de Lemann, de seu primeiro casamento, ficaram no país. Anna Victoria e Paulo moram no Rio de Janeiro; Jorge Felipe, em São Paulo.) Embora Jorge Paulo e Susanna mantenham até hoje a casa de São Paulo, sua residência oficial fica em Rapperswil Jona, nos arredores de Zurique, na Suíça. Lá, levam uma vida mais simples (para os padrões de um bilionário, claro) e sem tanta preocupação com segurança. "Os filhos dele vão à escola de bicicleta. Quando o Jorge Paulo precisa ir a Zurique, pega um trem", conta o ex-presidente Fernando Henrique Cardoso.

One trick pony

Com a venda do Garantia, em 1998, Jorge Paulo Lemann teve de estabelecer uma nova rotina de trabalho. Depois de 27 anos dando expediente no banco que fundara, ele agora precisava redefinir seu papel nos investimentos que mantinha com os sócios. Envolver-se no dia a dia da administração de uma empresa como a Brahma ou a Lojas Americanas não fazia sentido. Ele preferiu se instalar no escritório da GP Investimentos, a empresa de private equity do trio de ex-banqueiros fundada em 1993 (o nome "GP" vem de Garantia Partners). Ironicamente, Jorge Paulo continuaria fisicamente muito próximo do banco que acabara de vender. As sedes do Garantia e da GP estavam ambas localizadas no número 3.064 da avenida Brigadeiro Faria Lima, em São Paulo – o banco no 13º andar e a firma de private equity no piso abaixo.

Apesar da presença de Jorge Paulo no escritório, quem comandava o dia a dia da GP era Beto Sicupira. Foi Beto que, cinco anos antes, colocou a nova empresa em pé. Quando a gestora de recursos abriu as portas, o mercado de private equity simplesmente não existia no Brasil. Beto precisou explicar a investidores e empresários no que, afinal, consistia a atividade – comprar empresas em dificuldades, melhorar seus resultados e revendê-las anos depois por um valor mais alto (a outros investidores ou por meio de abertura de capital na bolsa de valores). Para montar o primeiro fundo, Beto teve de

passar o chapéu no Brasil e no exterior. Em um ano realizou 40 viagens aos Estados Unidos, todas em aviões comerciais, uma vez que
jatinhos particulares ainda não faziam parte do seu universo. Ao final da peregrinação tinha levantado 500 milhões de dólares – 100
milhões vieram dos bolsos de sócios do Garantia, principalmente do
trio de banqueiros.

Para atrair os investidores, Beto se valia da experiência que ele e seus
sócios haviam acumulado no comando de empresas como Brahma
e Lojas Americanas. Enquanto a maioria dos fundos estrangeiros
de private equity se envolve apenas com os aspectos financeiros das
empresas que adquirem, no caso da GP a proposta era interferir diretamente na gestão. Meritocracia, controle de custos implacável,
ambientes administrativos abertos, tudo isso seria replicado nas companhias em que a GP aportasse recursos.

No começo, a equipe de Beto não somava mais que meia dúzia de
pessoas, entre gente que havia feito carreira no Garantia, como Roberto Thompson, e novatos como Antonio Bonchristiano. Aos 25
anos, bacharel em filosofia, política e economia pela Universidade de
Oxford, Bonchristiano tinha passagens pelos escritórios de Nova York
e Londres do banco de investimentos Salomon Brothers. O financista
com jeitão de intelectual e gestos contidos havia conhecido o pessoal
do Garantia em 1990. Na época recebeu um convite para trabalhar no
banco, mas preferiu continuar morando na Europa. Mesmo depois da
recusa, Fernando Prado, um dos sócios do Garantia que o entrevistou
na época, manteve contato com o jovem. Em meados de 1992, quando pensou em retornar ao Brasil, Bonchristiano telefonou para Prado.
Avisou que queria voltar, mas buscava algo diferente de um banco
de investimentos. "Fala com o Beto. Ele está montando uma empresa de private equity", disse Prado. Era exatamente o que Bonchristano estava procurando. Em outubro daquele ano ele conheceu Beto e
Thompson num jantar em Londres, na casa de Fred Packard, também

sócio do Garantia. No dia 2 de janeiro de 1993, o jovem começou a trabalhar como analista na GP.

~

A estratégia engendrada por Beto Sicupira mostrava seus melhores resultados quando a GP assumia o controle das empresas em que investia e despachava algum de seus sócios para tocar a operação. Foi exatamente esse o roteiro seguido em 1997, quando a GP adquiriu a concessão da malha sul da Rede Ferroviária Federal, que deu origem à ALL (América Latina Logística). Mais grave que o prejuízo da companhia na época era a letargia que a dominava. Era preciso mudar seus números, mas antes era necessário transformar sua cultura. O escolhido para levar a missão a cabo foi o engenheiro Alexandre Behring, um carioca de 1,92m, 30 anos, praticante de caça submarina e polo aquático. O esportista jovem e competitivo vinha se mostrando um talento para os negócios desde que fora recrutado pela GP, em 1994, enquanto cursava um MBA em Harvard. Fisgado pelo discurso de Beto Sicupira e Marcel Telles – o imutável papo sobre meritocracia e *partnership* –, Behring dispensou uma oportunidade no Goldman Sachs para trabalhar na gestora de private equity brasileira:

"Entre o primeiro e o segundo ano do MBA trabalhei durante o verão no Goldman Sachs. Quando estava acabando o estágio, um diretor veio falar comigo, explicar um pouco como poderia ser minha carreira ali dentro. Ele detalhou o que aconteceria ano a ano, quando eu poderia ser promovido, como seria a evolução do meu salário. Eu era tão ansioso, tinha 27 anos, achei tudo muito devagar... Se a janela estivesse aberta eu teria me atirado por ela, de tanta ansiedade [risos]... Plano de carreira? Meu Deus do céu, eu não queria nada disso. Aí pensei que, se eu não poderia trabalhar no Goldman Sachs, porque achava aquilo muito estruturado, eu não poderia trabalhar em nenhuma empresa grande. Na-

quela época, não tinha nada melhor do que o Goldman no mundo. Foi então que fui apresentado ao Beto e ao Marcel. Eles estavam fazendo um curso em Harvard e aproveitaram para conhecer os alunos brasileiros do MBA. Conversamos e eles me chamaram para trabalhar na GP para ganhar um salário que era uma merreca. O Beto depois se convenceu a pagar um contêiner para eu trazer as minhas coisas, mas foi só. Topei porque achei os caras muito legais, achei que ia aprender uma barbaridade. Antes do MBA eu tinha sido dono de um pequeno negócio de informática e queria ser dono de alguma coisa de novo. Antes mesmo de acabar o curso eu já estava trabalhando na GP."

Quando foi destacado para assumir a presidência da ALL, sediada em Curitiba, Behring argumentou com os controladores da GP que não entendia nada do setor ferroviário. Para Beto isso não era um problema. "Aqui ninguém entende de ferrovia, então você está igual a todo mundo. Além do mais, a ideia de comprar a companhia foi sua. Vai lá e resolve", disse o empresário. Behring então perguntou o que deveria fazer quando chegasse à empresa. Beto repetiu a sugestão que havia dado a Marcel Telles quando o sócio assumiu a Brahma: "Durante o primeiro ano você e seu time não façam absolutamente nada que tenha a ver com o negócio. Façam coisas que exijam apenas bom senso enquanto aprendem como funciona a empresa. Se vocês fizerem coisas muito ligadas ao negócio propriamente dito, há grandes chances de sair bobagem."

Alexandre Behring seguiu à risca a recomendação. Enquanto aprendia em campo os detalhes do negócio – mensalmente ele embarcava numa locomotiva da ALL para ver de perto como a companhia funcionava –, tratou de colocar em prática os principais mandamentos da cartilha de gestão da "cultura Garantia". Quando chegaram à Lojas Americanas e à Brahma, Beto Sicupira e Marcel Telles fizeram questão de conhecer não apenas os diretores das companhias, mas também o pessoal do segundo escalão (e até alguns do terceiro nível hierárquico). Behring copiou a tática. "Era um grupo de quase 100 pessoas e eu pedi que cada um escrevesse numa folha de papel o que via de bom no negócio, o que podia mudar e quais as oportunidades. Depois conversei com cada um separadamente, nem que fosse por 20 minutos. É impressionante como um troço simples desses faz com que você aprenda sobre quem está na sua frente", diz Behring. Esse exercício deixou claro para o executivo quem tinha visão de negócio e quem estava com vontade de fazer a companhia entrar nos eixos – os que não eram nada disso foram devidamente substituídos.

Em pouco tempo, os principais objetivos da companhia eram conhecidos por todos. Palavras como "metas" e "controles", antes distantes do repertório da estatal, foram rapidamente incorporadas ao vocabulário dos funcionários da ALL. Pelas paredes dos escritórios pipocavam cartazes com o desempenho dos 300 funcionários mais graduados (o próprio Behring fazia parte da lista de profissionais avaliados publicamente). O senso de urgência e a necessidade de controlar custos eram reforçados ao pessoal pela "Carta do Front", um boletim mensal escrito pelo presidente da companhia. As paredes das salas dos diretores foram derrubadas e os executivos passaram a dividir um único espaço. Behring liderava, como aprendera com Beto e seus sócios, pelo exemplo – e, novamente, a velha fórmula funcionou. Em quatro anos a geração de caixa foi multiplicada por 18. A empresa voltou ao lucro. Graças à meritocracia professada, parte desse resultado ia direto para o bolso dos melhores funcionários. Apenas dois anos depois de Behring assumir o comando da ALL, 5 milhões de reais foram distribuídos em forma de bônus aos profissionais que bateram suas metas. Antes de deixar o comando da companhia, em dezembro de 2004, Behring cumpriu sua última tarefa: escolher e preparar seu sucessor, o economista fluminense Bernardo Hees, que ingressara na ferrovia em 1998. "Marcel gosta de usar a expressão '*one trick pony*' para explicar o que fazemos", diz Behring. "A gente tem só um 'truque', que é colocar gente boa e nosso sistema de gestão para mudar o resultado de uma empresa."

A limitação do estilo *one trick pony* é que ele só funciona quando profissionais de primeira linha como Behring podem se dedicar aos projetos por longos períodos. Jorge Paulo Lemann percebeu essa restrição tão logo chegou ao escritório da GP. "Ele (Jorge Paulo) dizia que nosso ativo mais valioso era o tempo e que estávamos usando esse ativo muito mal, fazendo vários negócios simultaneamente", lembra Antonio Bonchristiano, o ex-analista que chegou ao cargo de copresidente da GP Investimentos. Em outras palavras, Jorge Paulo achava que ali faltava foco – e foco sempre foi algo que perseguiu obstinadamente (como quando desistiu da carreira de tenista profissional ao notar que nunca estaria entre os 10 melhores atletas do mundo). "O ciclo do negócio de private equity é diferente da filosofia dele. Não dá para você chegar para o investidor que está colocando dinheiro em um fundo e falar que talvez você faça apenas um ou dois investimentos. Nem que talvez você queira ficar 20 anos em uma empresa. Não é assim que esse setor funciona. O ramo de private equity é ótimo, só que ele não bate com os valores de Jorge Paulo e seus sócios", diz uma pessoa próxima ao trio.

Foi sobretudo nos primeiros anos da GP que essa diversificação exagerada se manifestou. Nos anos 90, a gestora comprou aceleradamente empresas de tamanhos, origens, ramos e perfis muito diferentes – de startups de comércio eletrônico a operadoras de telefonia. Veja o caso do site Submarino, que surgiu em 1999, no auge do frenesi da internet. Em maio daquele ano Antonio Bonchristiano procurou o empresário Jack London, fundador da livraria virtual Booknet, para comprar o site. Na época, a Booknet não passava de uma empresa recém-nascida, com pouco mais de uma dezena de funcionários. Trinta e quatro dias e estimados 5 milhões de dólares depois, Bonchristiano concluiu a aquisição. Na mesma época e com a mesma velocidade, a GP fez outros três investimentos em novatas da internet – no site de leilões virtuais Lokau, no portal automobilístico Webmotors e no site de agendamento de lembretes Elefante.

Porém era na Booknet, uma varejista inspirada na Amazon, que a gestora de recursos apostava a maioria de suas fichas. Bonchristiano deixou o dia a dia da GP, da qual já era sócio, para se tornar presidente da nova empresa, rebatizada Submarino. Ficou lá por dois anos. Ergueu centros de distribuição, levou-a para outros países da América Latina e transformou o Submarino em uma das mais eficientes companhias de vendas pela internet do Brasil.

Em novembro de 2006, o Submarino e a americanas.com (controlada pela Lojas Americanas e criada como um braço independente de varejo eletrônico em 1999) anunciaram uma fusão para formar a B2W, a maior varejista on-line do país. Com a transação, a GP saiu completamente do negócio.

Feitas as contas, o retorno sobre o investimento no Submarino foi um sucesso – o dinheiro colocado na antiga Booknet foi multiplicado por 10. No entanto, o envolvimento exigido da GP para transformar a aspirante a varejista virtual em uma empresa sólida foi considerado pela gestora de recursos alto demais. A experiência com o Submarino acabou por criar uma regra dentro da GP: investimentos em startups nunca mais.

O esforço para participar do leilão de privatização das operadoras de telefonia no Brasil, em 1998, também se mostrou desmedido. A GP participou do consórcio que arrematou a Telenorte Leste (depois Telemar e Oi) por 3,4 bilhões de reais. Desde o início o negócio foi marcado pela polêmica. Entre os sócios da GP – as construtoras Andrade Gutierrez e Inepar, o grupo La Fonte (da família Jereissati), a Macal (do empresário Antonio Dias Leite) e a Previ – não havia ninguém com experiência no setor de telecomunicações.

O mercado tinha receio de que o consórcio se mostrasse inapto a tocar a companhia. Com interesses e culturas muito diferentes, o clima entre os sócios da Telemar era, para dizer o mínimo, belicoso. Não raro, as reuniões do conselho de administração se transformavam em verdadeiras batalhas. Entre os mais de 20 membros do conselho, dois eram da GP – Beto Sicupira e Fersen Lambranho, que a essa altura já havia deixado o comando da Lojas Americanas para trabalhar na gestora de private equity.

Em agosto de 2000, Fersen assumiu a presidência do conselho de administração da Telemar. Era a chance da GP imprimir na operadora de telefonia seu estilo de gestão – com metas, meritocria, cobrança por resultados. A prática, porém, mostrou que, com uma participação acionária inferior a 10%, a GP não conseguia vencer a resistência dos outros acionistas. Graças principalmente à governança conturbada, a Telemar jamais teve o jeitão de uma empresa da GP.

Em 2008, uma década depois da privatização, a GP vendeu sua fatia na operadora. O negócio não deixou nenhuma saudade. Se a gestora tivesse aplicado os 350 milhões de reais investidos inicialmente no consórcio em um fundo de renda fixa, o retorno teria sido maior que o registrado na Telemar. Ficou a segunda lição: nada de tomar parte de negócios em que a GP não tivesse autonomia para estabelecer sua cultura.

Nos primeiros tempos da GP nenhum negócio deu tão errado quanto a aquisição da fabricante de produtos de cama, mesa e banho Artex, em 1993. Sediada em Blumenau, interior de Santa Catarina, a Artex era uma empresa familiar sucateada, que vinha de quatro anos consecutivos de prejuízos. Para arrumar a casa, a GP destacou o executivo Ivens Freitag, ex-Brasmotor.

Três anos depois da transação, com os resultados da Artex ainda andando de lado, a GP decidiu firmar uma associação com a Coteminas, maior empresa do setor. O negócio exigiu a formação de uma holding batizada Toalia e previa que a gestão da Artex passasse para as mãos da Coteminas. A expectativa da GP era trocar seus 50% de participação na holding por ações da Coteminas até o final de 2001.

À medida que o prazo para a venda da fatia da GP na Toalia para a Coteminas se aproximava, a relação entre as empresas azedava. O motivo do desentendimento, claro, era dinheiro. A firma de private equity, que previa ganhar 80 milhões de reais em ações da Coteminas com a transação, percebeu que não receberia coisa alguma.

Segundo a GP, a Coteminas teria deliberadamente gerido a Toalia de maneira desastrosa para diminuir os índices usados no cálculo do valor da companhia. Josué Christiano Gomes da Silva, presidente da Coteminas, rebatia que a fórmula para esse cálculo, que constava no acordo de acionistas, havia sido criada pela GP. Em última análise, segundo ele, a própria gestora se colocou naquela situação. O caso foi parar na justiça e, em 2001, assumiu tal proporção que pela primeira vez em sua história a GP decidiu tornar pública a disputa com um sócio.

O imbróglio só terminou no ano seguinte, quando a GP desistiu da briga e assumiu a perda. O fato de o controlador da Coteminas, José Alencar Gomes da Silva (pai de Josué), ter sido eleito vice-presidente da República certamente pesou na decisão da gestora de abrir mão do investimento.

~

Com a compra da Antarctica pela Brahma, em 1999, Jorge Paulo, Marcel e Beto perceberam que era preciso reavaliar seu envolvimento nos demais negócios em que investiam. Ficava cada vez mais claro para o trio que a melhor oportunidade de crescimento estava na cervejaria. Gastar tempo e energia em empreendimentos menos promissores era puro desperdício. Paralelamente, havia uma nova geração na GP Investimentos que começava a pressionar para aumentar sua participação na companhia. Parecia a combinação perfeita.

Na filosofia de Jorge Paulo e seus sócios, quem está em cima não pode impedir o crescimento de quem está embaixo – caso contrário, toda a pregação da meritocracia cai por terra. A regra vale, inclusive, para o próprio trio. "Eles têm essa capacidade rara de abrir mão das coisas quando é preciso", diz Fersen Lambranho.

Em 2001 foi dada a largada na transição do comando da primeira para a segunda geração. Os sócios antigos mais afetados pela mudança foram Beto Sicupira e Roberto Thompson, envolvidos diretamente na administração da gestora de recursos desde sua criação. "Havia uma reunião às segundas-feiras em que se falava sobre todos os negócios e dela o Jorge Paulo e o Marcel participavam. Tudo o mais era com o Beto", diz Carlos Medeiros, ex-sócio da GP. Medeiros deixou a gestora em janeiro de 2012 para se dedicar exclusivamente à presidência da BR Malls, empresa que se transformou na maior administradora de shopping centers do país durante o período em que foi controlada pela GP, de 2006 a 2010.

Ainda com o controle do capital da GP, os fundadores decidiram que o dia a dia passaria a ser tocado por Antonio Bonchristiano e Fersen Lambranho, num regime de cogestão. Dividir o poder em geral não é uma tarefa das mais simples. No caso de Bonchristano e Fersen, dois sujeitos com temperamentos bastante diferentes, houve quem duvidasse que a fórmula criada pelos fundadores da GP funcionaria.

Bonchristiano é conhecido pelos modos diplomáticos e pelo bom trânsito na comunidade financeira internacional. Anos atrás foi escolhido pelo Fórum Econômico Mundial como um dos 100 líderes do futuro. Frio, raramente eleva o tom de voz ou se exaspera numa discussão. É maratonista e há pouco tempo construiu uma casa de veraneio em Capri, sul da Itália, para onde costuma viajar com a mulher e os filhos. Fersen é um carioca que costuma intimidar seus interlocutores. Fala duro e sua voz grave pode ser ouvida à distância. Gosta de conhecer em detalhes as operações das empresas em que investe e não economiza sola de sapato para caçar boas oportunidades. Casado com sua namorada dos tempos da faculdade e pai de dois filhos, ele apurou o gosto por artes plásticas e se tornou colecionador de pinturas do modernismo brasileiro.

Apesar das diferenças de temperamento, Fersen e Bonchristiano comungam dos mesmos princípios de Beto Sicupira e seus sócios – e a gestão compartilhada começou a trazer resultados. Dois anos depois de assumir o comando da GP, a dupla procurou os fundadores para pleitear uma nova reavaliação da participação acionária. "Propusemos que nós dois e os demais funcionários que estavam 100% do tempo dedicados ao negócio iríamos comprar metade da empresa, pagando em um prazo máximo de quatro anos", diz Bonchristiano. Jorge Paulo Lemann, Marcel Telles, Beto Sicupira e Roberto Thompson toparam.

O cálculo do montante a ser pago se baseou no valor patrimonial da companhia. Em cerca de um ano a dívida estava quitada e os sócios mais jovens puderam comprar o resto da participação dos fundadores. Roberto Thompson permaneceu algum tempo no conselho de administração, mas logo todos os laços formais de ingerência foram cortados.

Sob o comando de Bonchristiano e Fersen, a GP atingiu seus melhores momentos e se consolidou como a maior empresa de private equity da América Latina. Investimentos como o feito na Cemar, empresa de energia do estado do Maranhão, tiveram um espantoso retorno de 35 vezes o capital inicial alocado. Assim como o Garantia era o mais invejado banco de investimentos das décadas de 80 e 90, a GP se tornou a mais celebrada gestora de recursos de terceiros do país na maior parte dos anos 2000. Ao longo de sua história, investiu mais de 5 bilhões de dólares na aquisição de 51 empresas – e em boa parte delas atuou como uma espécie de difusora em larga escala dos princípios empresariais estabelecidos por Jorge Paulo, Marcel e Beto ainda nos tempos do Garantia. "Essa nova geração está indo além dos fundadores em termos de agressividade e cultura", disse Marcel Telles durante uma palestra em São Paulo, em 2008.

A fase de crescimento acelerado, em que a GP brilhava praticamente sozinha no setor de private equity brasileiro, ficou para trás. Em primeiro lugar porque a concorrência aumentou – fundos internacionais como Carlyle, Advent e General Atlantic, e nacionais como Vinci (de Gilberto Sayão), Gávea (de Armínio Fraga) e BTG Pactual (de André Esteves) passaram a atuar com força no Brasil. Além disso, a gestora cometeu uma série de equívocos em seus investimentos. Na ânsia de aproveitar o dinheiro que tinha nos fundos, fechou muitos negócios simultaneamente – e nem sempre tinha sócios que pudessem assumir o comando das empresas compradas. Algumas dessas tacadas se mostraram tão desastradas que arranharam a reputação da firma.

Foi o que aconteceu com a empresa de implantes dentários Imbra, adquirida em 2008. Nem mesmo a injeção de 140 milhões de dólares feita pela GP na companhia foi capaz de tornar a operação viável. Dois anos após a aquisição, a gestora desistiu do negócio e assumiu o prejuízo. Vendeu a Imbra pelo valor simbólico de 1 dólar para o obscuro grupo Arbeit. Três meses depois, o Arbeit pediu a falência da empresa que acabara de comprar. O desfecho foi um duro golpe na imagem da GP. "Todo o sucesso que a GP teve a partir de 2004 deixou o pessoal de lá arrogante", diz um executivo do setor. "Eles começaram a agir como se fossem invencíveis e não tivessem competidores, mas descobriram da pior forma possível que também podiam errar."

O tropeço acendeu a luz amarela na gestora. "Foi um bom alerta", reconhece Bonchristiano. "Estamos aqui de novo, fazendo negócios, mas com muito rigor, disciplina, cuidado, foco e calma, para evitar erros."

Um novo susto ainda estaria por vir. Em fevereiro de 2013, a LBR, empresa do setor lácteo controlada pela GP, entrou com um pedido de recuperação judicial. Criada em 2011 com a fusão da LeitBom e da Bom Gosto – e com maciço apoio financeiro do BNDES –, a LBR tinha, inicialmente, a pretensão de ser a "campeã nacional" do leite.

Mate o concorrente pelo caixa

Na história do capitalismo brasileiro poucas disputas foram tão ferrenhas quanto a travada por Brahma e Antarctica na década de 90. As duas maiores empresas do mercado cervejeiro do país se engalfinhavam pública e ferozmente pela liderança. Mais que uma guerra entre produtos, o que diferenciava as companhias era seu estilo de gestão. A Brahma, comandada pela turma do Garantia, seguia uma cartilha que pregava a informalidade no ambiente de trabalho, a meritocracia e a busca contínua por melhores resultados. A Antarctica, controlada pela Fundação Zerrenner, era o oposto, com sua diretoria formada por homens mais velhos e engravatados, que só tomavam decisões por consenso. Em meados dos anos 90, cada uma detinha cerca de 30% de participação de mercado. Uma representava o maior obstáculo ao crescimento da outra. "As duas empresas competiam dia e noite, se matavam para ganhar mercado", disse Marcel Telles tempos atrás sobre essa fase. Deixar a rival ganhar terreno era algo impensável para o pessoal da Brahma. Como se falava pelos corredores da cervejaria, "lugar de pinguim é na geladeira", numa irônica alusão à ave que ilustra o rótulo da Antarctica.

A artilharia para derrubar a concorrente era pesada. A batalha começou silenciosa, com a busca da Brahma por tornar seu processo de fabricação e distribuição mais eficiente, e ganhou voz com a contratação, em 1990, de Eduardo Fischer, presidente da agência Fischer, Justus (hoje Fischer & Friends). Aos 30 e poucos anos, o publicitário deu início ao que ficaria conhecido como a "guerra das cervejas". Ele encomendou uma pesquisa para saber como os brasileiros costumavam pedir cerveja nos bares do país. As respostas dos consumidores foram gravadas em vídeo e Fischer se debruçou sobre as imagens. Percebeu que boa parte dos entrevistados levantava o dedo indicador para mostrar aos garçons que queria mais uma "gelada". Era um gesto simples, direto, reconhecido nacionalmente. Nascia ali o mote para seu novo cliente: a Brahma agora era a "número 1".

Apoiado no slogan, Fischer fez o diabo. Em 1991 criou o camarote da Brahma, um espaço superbadalado para que beldades, artistas, políticos e empresários pudessem assistir com toda a mordomia aos desfiles das escolas de samba cariocas no Sambódromo. A grande sacada foi tornar o uso da camiseta com o logotipo da Brahma obrigatório para todos os convidados. Qualquer celebridade fotografada para jornais e revistas ou que concedesse entrevistas para emissoras de TV acabava por fazer propaganda da cervejaria – ainda que involuntariamente e de graça. O camarote da Brahma virou "o" lugar para ser frequentado no Carnaval. Seus convites se tornaram objeto de desejo. Quem não se encaixasse no perfil exigido para frequentar o espaço era sumariamente vetado, ainda que fosse próximo dos donos da cervejaria. Foi o que aconteceu certa vez com Robert Cooper, sobrinho de Jorge Paulo e seu frequente companheiro nas quadras de tênis. Cooper perguntou ao tio se poderia conhecer o camarote. A resposta do empresário, ainda que bem-humorada, foi desconcertante: "Aquilo é um negócio. Os convites são para quem me ajuda a ganhar dinheiro, gente famosa e mulheres bonitas. Em qual categoria você está?" Cooper teve que assistir ao desfile das escolas de samba pela televisão.

Na Copa do Mundo de 1994 a campanha publicitária de Fischer alcançou um de seus momentos mais geniais. A Brahma não patrocinava a seleção brasileira nem havia comprado cotas de patrocínio da Globo e da Bandeirantes, as emissoras que transmitiam os jogos (as redes de TV estavam acertadas com a Kaiser e a Antarctica, respectivamente). Mesmo assim foi a marca que mais chamou a atenção dos torcedores ao usar táticas do chamado marketing de emboscada já nos jogos amistosos que antecederam a competição – a principal delas foi distribuir material publicitário para o público nos estádios com as imagens da "número 1". Uma reportagem da revista *Veja* revelou o resultado dessa estratégia de guerrilha na partida que a seleção brasileira disputou contra o Paris Saint-German em abril, na preparação para a Copa: a Brahma apareceu 34 minutos e 46 segundos ao longo da transmissão, enquanto a Kaiser foi exposta por 1 minuto e 41 segundos. "O dedo resume uma das mais agressivas, ou talvez a mais agressiva, campanhas publicitárias que o Brasil já conheceu, a mais ambiciosa, mais abrangente nos espaços que ocupa e mais polêmica", afirmou a publicação.

A Antarctica se esforçava para barrar o avanço da concorrente, mas a luta era desigual. A cervejaria paulista era mais lenta e cautelosa. O publicitário Nizan Guanaes, à época na DM9, agência responsável pela conta da Antarctica, conta como foi essa fase:

"A minha primeira experiência com eles (Marcel Telles e seus sócios) foi proctológica. Foi por trás, entendeu? Eu senti o bafo... Competir contra eles foi complicadíssimo. Era um rolo compressor. E sabe por quê? Porque os caras tinham tecnologia, ciência, disciplina... Como eles já tinham desenvolvido essa capacidade de atrair e desenvolver as pessoas, podiam contar com os melhores cérebros... E o Marcel estava ali o tempo todo segurando as rédeas... Eles conseguiam tomar decisões muito rápido, em uma velocidade diferente da Antarctica."

Organizar camarotes badalados no Carnaval carioca era importante. Fazer a torcida "levantar o dedo" nos estádios era importante. Patrocinar mega shows de estrelas da MPB (como a Brahma fez com João Gilberto, em 1991) era importante. Mas nem todas essas iniciativas somadas seriam capazes de vergar a Antarctica. "Jorge Paulo dizia que a única forma de se matar um concorrente é pelo caixa", lembra Magim Rodrigues, ex-diretor-geral da Brahma. "A empresa precisa ter o melhor marketing, o melhor produto, as melhores pessoas. Tudo isso é maravilhoso. Mas se você quiser liquidar o seu concorrente precisa ir ao caixa dele. Quando ele não tiver mais dinheiro para nada, estará morto." O jogo precisava ficar mais pesado.

Na segunda metade dos anos 90 a Brahma começou a estruturar um sistema de vendas capaz de analisar os dados de todos os seus clientes – não por estado ou cidade, mas por cada um dos seus milhares de pontos de venda. Assim conseguia saber exatamente quanto cada bar ou supermercado comercializava e com que margem de lucro. Magim explica o impacto da iniciativa:

"Deixamos de jogar bombas atômicas gastando uma baba de dinheiro para tentar crescer em alguns mercados e passamos a atirar no branco do olho, com muito mais precisão. Os vendedores começaram a saber tudo sobre cada um dos seus clientes – quanto vendiam, quanto tinham de estoque. Era um sistema que inicialmente custava mais, porque exigia um número 20%, 30% maior de vendedores, mas que trazia um resultado absurdo. Até então o vendedor estava acostumado a encostar no balcão do bar e perguntar: 'Seu Manoel, quantas caixas vai querer hoje?' Isso acabou. Ele agora chegava sabendo exatamente o que o cliente precisava comprar e quanto ele precisava deixar de margem de contribuição para a companhia. Como tinha autonomia para negociar bonificações e condições de pagamento, o cara se virava para bater a meta."

Foi Carlos Brito, então diretor de vendas da Brahma, quem colocou esse sistema de pé. Brito era uma estrela em ascensão na companhia. Seu primeiro contato com a cultura de Jorge Paulo Lemann e seus sócios se dera muito tempo antes. Nascido em uma família de classe média alta, ele estudou no Colégio Santo Inácio e fez engenharia na Universidade Federal do Rio de Janeiro. Seu primeiro emprego depois de formado foi na Mercedes-Benz. Logo chamou a atenção dos chefes e foi transferido para a matriz, onde pôde exercitar as lições de alemão que aprendeu na adolescência (sua mãe achava que só a fluência em inglês não seria suficiente para turbinar a carreira do filho). Em seguida, deixou a Mercedes e foi contratado pela área de robótica da subsidiária brasileira da Shell. Na nova empresa foi incentivado por dois amigos a cursar um MBA no exterior. Tentou em Stanford e Wharton, duas das mais prestigiadas instituições americanas. Foi aprovado em ambas, mas escolheu a primeira, considerada na época a melhor do mundo. Ele seria o único brasileiro daquela turma. Só havia um problema: Brito não tinha dinheiro para bancar o curso e precisava encontrar um patrocinador.

Seu primeiro impulso foi tentar um financiamento na própria Shell. Não conseguiu. A empresa argumentou que no passado tinha feito esse tipo de empréstimo a funcionários, mas que depois de terminar o curso eles não voltaram ao trabalho – e por isso a política fora suspensa. Brito precisava buscar uma alternativa e se lembrou do nome de Jorge Paulo Lemann. Embora não o conhecesse, sabia que o banqueiro, um entusiasta da educação, ajudava a financiar os estudos do pessoal do Garantia no exterior. Será que bancaria alguém que não fosse do banco? Brito achou que valia a pena arriscar. Pediu o contato de Jorge Paulo a um conhecido que trabalhava em uma corretora carioca. O banqueiro topou recebê-lo por uma hora.

Brito chegou para a entrevista todo embecado: terno, gravata, sapato engraxado. Nada menos "Garantia" que o visual arrumadinho. Levou um currículo para entregar ao banqueiro, mas Jorge Paulo disse que não era necessário. Ele preferia conversar com o jovem (e depois confirmar com conhecidos da Shell se Brito era realmente talentoso). Jorge Paulo perguntou sobre os estudos, o trabalho e o que planejava para o futuro. Quando o tempo acabou, os dois se despediram sem que Brito tivesse certeza de que falaria com o empresário novamente. Dias depois, recebeu um telefonema enquanto dava expediente na Shell. Do outro lado da linha estava Jorge Paulo:

— Brito, falei com o pessoal que eu conheço na Shell e de fato você está indo bem. Passa aqui que eu vou te dar a bolsa e vou te pagar o primeiro ano integral.

— Jorge, mas como eu vou te pagar isso de volta? Eu não tenho esse dinheiro [22 mil dólares, na época].

— Depois a gente discute isso. Eu só quero que você me prometa três coisas. A primeira é que você vai me manter informado. Eu quero saber como está indo o curso. Se você ler um artigo interessante sobre finanças, me manda. A segunda coisa é que, se você puder, deve ajudar alguém no futuro, do mesmo jeito que estou te ajudando agora. E a terceira: quando você acabar o curso, antes de aceitar qualquer trabalho, venha falar com a gente.

No dia seguinte Brito foi até o Garantia acertar os detalhes da bolsa. Jorge Paulo chamou um funcionário do departamento jurídico e pediu que ele trouxesse um contrato referente ao empréstimo. "O papel só dizia que eu tinha que estudar e, se desistisse do curso, precisaria devolver o dinheiro", lembra Brito. Antes de embarcar para Stanford, o jovem pediu demissão da Shell e passou duas semanas no Garantia. Era um mundo muito diferente do que ele conhecia até então. Habituado ao universo das grandes corporações — lento e hierarquizado, sobretudo para quem trabalha em subsidiárias —, ele se deparou com um ambiente meritocrático e informal, onde as decisões eram tomadas rapidamente. Conheceu Marcel e Beto. Adorou tudo aquilo.

Brito cumpriu as três promessas feitas ao banqueiro. Mensalmente enviava a Jorge Paulo uma carta relatando o que estava fazendo e qual tinha sido seu desempenho em trabalhos e provas. Em geral, anexava cópias de artigos acadêmicos ou matérias que pudessem interessá-lo. "Ele nunca me escreveu, mas sempre me ligava depois que recebia as cartas", afirma Brito. Quando terminou o MBA, tinha uma oferta da consultoria McKinsey, onde fizera um estágio durante o verão. Seu pacote de remuneração no primeiro ano chegaria a 90 mil dólares. Antes de aceitar, telefonou para Jorge Paulo, como combinado. O banqueiro disse que gostaria de contratá-lo para trabalhar no Garantia ou em um grande negócio que estava sendo fechado, mas que ele ainda não podia revelar. O salário que o carioca oferecia era de 20 mil dólares. Com muito custo, Jorge Paulo e Fernando Prado (o outro sócio com quem Brito negociava sua contratação) concordaram em pagar mais 5 mil dólares para bancar a mudança. Embora financeiramente parecesse um desatino – a oferta da McKinsey, uma das empregadoras mais disputadas do mundo, era quase quatro vezes maior – Brito preferiu retornar ao Brasil. Ficou no Garantia alguns meses até que o banco comprou a Brahma.

Ao lado de Marcel Telles, Magim Rodrigues e Luiz Claudio Nascimento, Brito fez parte do quarteto que assumiu o comando da cervejaria logo após a aquisição. Passou por diversas áreas na companhia, muitas vezes sem estar pronto para assumi-las. Nos anos 90, por exemplo, foi promovido a gerente da fábrica de Agudos, no estado de São Paulo. Argumentou com Marcel Telles que não entendia nada do processo de fabricação de cerveja. "Esquece isso... Você nunca vai ser mestre cervejeiro. Eu também não entendo nada disso. Vai lá e se cerca de gente boa que vai dar certo", respondeu Marcel. Brito seguiu a orientação e, resignado, se mudou para o interior paulista. Ele sabia que não podia recusar o "convite". Na Brahma, assim como acontecia antes no Garantia, as missões deveriam ser sempre cumpridas.

O patrocínio aos estudos de Brito foi o embrião da Fundação Estudar, organização não governamental criada por Jorge Paulo em 1991 para financiar os estudos de jovens em instituições de primeira linha. Foi por meio da fundação que Brito cumpriu a última parte de sua promessa ao banqueiro – ajudar financeiramente jovens talentosos a cursar instituições de ensino de qualidade. Nos mais de 20 anos de história da Estudar, Carlos Brito se tornou um de seus maiores contribuidores.

~

Vender mais graças ao sistema inteligente criado por Brito era ótimo. O problema era que, apesar daquele incentivo, os resultados da Brahma estavam patinando. Logo no início de 1998, Magim Rodrigues percebeu que dificilmente as metas seriam batidas. O bônus do pessoal estava em risco. Se o problema da companhia não estava nas receitas, só podia estar nas despesas. Magim passou um pente-fino nas contas e teve um choque ao perceber quanto a companhia gastava com itens como transporte, viagens e alimentação. Aqueles números precisavam ser urgentemente reduzidos.

Magim e Marcel chamaram ao escritório da Brahma o professor Vicente Falconi e o argentino Gustavo Pierini, um ex-consultor da McKinsey e ex-associado da GP Investimentos. Pierini havia aberto recentemente sua própria consultoria, a Gradus. "Havia uma dúvida na época se o melhor era criar um programa interno de redução de custos ou chamar o Cláudio Galeazzi [executivo que comandara uma reestruturação na Lojas Americanas anos antes]", diz Falconi. Depois de muita conversa, Marcel e Magim optaram pela solução caseira. Pierini e Falconi buscaram inspiração em programas de redução de custos já conhecidos no exterior e criaram uma versão adaptada à realidade da cervejaria. Surgia o Orçamento Base Zero, conhecido simplesmente como OBZ, um programa radical de controle de custos que prevê a revisão anual integral de todas as despesas da companhia – e não só dos aumentos que ocorrem de um ano para outro. A partir daquele momento, qualquer custo – de insumos a viagens, de uso de celulares à compra de material de informática – teria de obedecer às novas regras.

O lançamento do programa, para o qual foram convocados todos os executivos da cervejaria, aconteceu na Academia Militar das Agulhas Negras, em Resende, interior do Rio de Janeiro. A escolha não foi casual. "Era para dar o tom de como seria o jogo dali pra frente. Não haveria moleza", lembra Falconi. Magim explicou para o pessoal como seria o programa: as regras, o calendário de reuniões para apresentação dos resultados, a importância de todos ali se envolverem diretamente com o controle de gastos. O OBZ, avisou Magim, seria colocado em prática a partir de 1º de janeiro de 1999. Apesar de toda a preparação, o início do programa, como recorda Falconi, foi complicado:

"*Na reunião de fevereiro Magim avisou que estava com um problema. O diretor regional do Rio de Janeiro não havia executado uma das recomendações – reduzir o número de carros alugados de 17 para cinco. Era pura indisciplina. Nas empresas as pessoas desenvolvem um certo cinismo ao longo dos anos, porque se acostumam ao fato de que as metas não serão cobradas... Além desse caso com o diretor, Magim contou que cinco gerentes não estavam batendo suas metas e se recusavam a fazer os relatórios. Perguntou o que devia fazer com os caras. Bom, eles tinham sido avisados verbalmente e por escrito das regras e não queriam cumpri-las. Só havia uma coisa a fazer: mandar esse pessoal embora. Se você quer mudar uma cultura e encontra resistência, sinto muito... Os cinco gerentes foram demitidos naquele mesmo dia. O diretor regional escapou porque se aposentaria no mês seguinte. Foi uma atitude importante. Mostrou para a empresa que as coisas tinham realmente mudado. Do mês de março em diante todas as metas foram batidas. Criou-se uma cultura de execução que foi transformadora para a história da companhia.*"

Magim estava certo. O ano de 1998 foi o primeiro sem distribuição de bônus na Brahma desde que o pessoal do Garantia assumiu a
gestão. Embora a empresa tenha registrado lucro, as metas não foram
batidas. Em março do ano seguinte, mês em que a companhia dis-
tribuiria a remuneração variável, nenhum funcionário recebeu coisa
alguma. Nem mesmo Magim. Nem mesmo Marcel. As regras da meritocracia eram implacáveis – e quem estava acostumado a ganhar até
18 salários extras pelo bom desempenho teve que se conformar em
ficar à míngua no período de resultados medianos. Perder os bônus
foi mais um estímulo para que o pessoal encampasse o OBZ e se de-
dicasse a reduzir os custos da empresa.

"São Paulo e Corinthians no mesmo time"

A máquina azeitada da Brahma começava a fazer estragos na Antarctica. O lucro da cervejaria paulista, que alcançara 161 milhões de reais em 1995, caíra para quase um terço – 64 milhões de reais – em 1998. A participação de mercado de sua principal marca, a própria Antarctica, somava 22%, enquanto Brahma e Skol juntas totalizavam 49%. No duelo de marketing, vendas e distribuição entre as duas maiores fabricantes de cerveja do país, a Brahma estava ganhando com folga. Era hora de Marcel Telles e seu time liquidarem a fatura.

A arquitetura do negócio que mudaria a cara do mercado cervejeiro brasileiro e criaria uma das maiores companhias do país começou a ser esboçada numa noite de sexta-feira, no início de maio de 1999. Marcel e Magim Rodrigues ainda davam expediente na sede da Brahma. Eles conversavam sobre o futuro da companhia quando o papo chegou ao seguinte ponto:

– Marcel, vamos comprar a Antarctica?

– Tá louco, Magim?

– Eles não têm mais gás. Estão ferrados...

– Como é que você sabe?

– Não vou te dizer como, mas eu sei.

– Será? Bom, não custa conversar com eles... Vou ligar para o Victório [De Marchi, diretor-geral da Antarctica] amanhã.

Victório De Marchi havia se tornado o principal executivo da Antarctica em 1998, depois de um período bizarro em que o comando da cervejaria era alternado semanalmente entre os membros do conselho de administração. Ainda que estivessem à frente de companhias rivais, ele e Marcel costumavam se encontrar de tempos em tempos para conversar sobre o mercado. De Marchi não se surpreendeu, portanto, quando Marcel telefonou no final de semana para convidá-lo para um almoço na segunda-feira seguinte. Escolheram um local público, o restaurante Gero, situado nos Jardins, em São Paulo. Durante a refeição, Marcel lançou a ideia: "Victório, não é hora de a gente se juntar? O mundo está se globalizando. Os caras estão entrando aqui." Os "caras" a que Marcel se referia eram, principalmente, as americanas Anheuser-Busch, que chegou a deter uma participação de 5% da Antarctica, e Miller, com quem a Brahma havia feito uma associação para distribuição de seus produtos no Brasil. Outras gigantes como a sul-africana SAB e a holandesa Heineken também estavam de olho nos consumidores brasileiros.

Não era exatamente a primeira vez que a Brahma sugeria algo desse tipo para a Antarctica. No final de 1998 Magim chegou a abordar De Marchi, mas o diretor da cervejaria paulista desconversou. Dessa vez, com o agravamento da situação da Antarctica, sua reação foi diferente. De Marchi disse que debateria a proposta com o conselho da cervejaria. No dia seguinte, telefonou para Marcel e avisou que os conselheiros estavam dispostos a discutir a proposta.

Meses antes de abordar a Antarctica, a Brahma havia chegado muito perto de comprar a colombiana Bavaria. O negócio empacou porque as partes não chegaram a um consenso em relação ao preço. Depois de muita negociação, a Brahma ofereceu aos colombianos 1,8 bilhão de dólares pela cervejaria – 500 milhões no ato e o restante no futuro, com a ajuda da geração de caixa da companhia. O pessoal da Bavaria pedia mais: 2,2 bilhões de dólares e um prazo mais curto para o pagamento. Marcel Telles queria muito concluir aquela transação. Pensou. Consultou os sócios. Discutiu o assunto com Magim Rodrigues. Concluiu que o preço estava alto demais e as condições de pagamento poderiam estrangular o caixa da Brahma. Acabou por abortar a operação. Embora frustrante no momento, a decisão se mostrou providencial. Se tivesse arrematado a Bavaria, a Brahma não teria como partir para cima da Antarctica – pelo menos não naquele momento.

Com o sinal verde do conselho de administração da cervejaria paulista, Marcel procurou o advogado Paulo Aragão, sócio do escritório BMA, para ajudá-lo a estruturar uma proposta. Aragão é um sujeito de fala pausada, raciocínio cristalino e tom ligeiramente professoral. Havia anos que se tornara próximo de Marcel e seus sócios. Nos anos 80, ele havia ajudado Beto Sicupira a montar o programa de remuneração variável da Lojas Americanas. Na década seguinte, foi sócio da GP Investimentos. Fazia tempo que Aragão estava a par das ambições do trio de transformar a Brahma em uma cervejaria com alcance global. Em 1994, numa viagem aos Estados Unidos com Beto Sicupira e Roberto Thompson, ele marcou uma conversa com advogados da Skadden, Arps, Sleate, Meagher & Flom, uma das mais prestigiadas bancas do mundo. Logo no início da reunião, Beto perguntou aos americanos como ele poderia comprar a Anheuser-Busch. Os advogados da Skadden, como é de se imaginar, ficaram perplexos. "Era como se a gente estivesse dizendo que queria comprar a Basílica de São Pedro", lembra Aragão, aos risos. Educadamente, em poucos segundos os americanos mudaram de assunto.

Cinco anos depois daquele episódio, o aparente delírio de Beto começava a tomar forma. O Projeto Sonho, como foi batizado o plano de compra da Antarctica, seria o primeiro passo para fazer da Brahma a maior cervejaria do mundo. Para chegar lá os controladores da empresa deveriam superar uma série de obstáculos. O primeiro, convencer os acionistas da Antarctica a vender a companhia. Além de chegar a um valor que acomodasse os interesses das duas partes, a Brahma teria de se mostrar hábil o suficiente para não ferir suscetibilidades – o negócio deveria ser anunciado como uma "fusão", e não como uma aquisição, o que de fato era (na Ambev ninguém se refere à operação como uma compra). Depois seria necessário provar aos órgãos reguladores que a criação da supercervejaria não implicaria monopólio. Finalmente, os funcionários das duas cervejarias precisariam entender que a guerra acabava ali – havia tanta rivalidade que os empregados da Brahma eram proibidos de consumir produtos da Antarctica até mesmo dentro de casa. "Era como juntar o São Paulo e o Corinthians para fazer um time só", diz Aragão.

O processo de negociação foi rápido e restrito a poucas pessoas. Quase todas as reuniões aconteceram no escritório da GP Investimentos. Pelo lado da Brahma havia quatro interlocutores-chave: Roberto Thompson, o negociador; Paulo Aragão, responsável por estabelecer as bases jurídicas do acordo; Adilson Miguel, diretor de revendas da Brahma, e João Castro Neves, um talentoso gerente de planejamento da cervejaria. Os dois últimos foram escalados para mergulhar nos detalhes da operação da Antarctica e avaliar as sinergias com a Brahma. Magim Rodrigues, o diretor-geral da Brahma, não se envolveu no processo. Marcel preferiu que continuasse tocando o dia a dia da cervejaria, para que ela não saísse dos trilhos durante a negociação.

Castro Neves, na época com 32 anos, era o mais novo da turma. A primeira vez que ouviu o nome de Jorge Paulo Lemann foi ainda na adolescência. Carioca e praticante de tênis (chegou a ganhar alguns campeonatos no Rio de Janeiro), Castro Neves soube, aos 13 anos, que Jorge Paulo patrocinava um torneio juvenil. O vencedor ganharia a oportunidade de participar do Orange Bowl, nos Estados Unidos.

"Eu não sabia direito quem ele era, mas achava bacana um cara que apoiava um campeonato desses", lembra o executivo. Anos depois, já formado em engenharia pela PUC do Rio de Janeiro, ele procurou Jorge Paulo Lemann para pedir outro tipo de patrocínio. Castro Neves fora aprovado no MBA da Universidade de Illinois, em Chicago, mas não tinha como bancar os estudos. Jorge Paulo gostou do garoto, que se tornou um dos primeiros beneficiados da Fundação Estudar, com uma bolsa de 20 mil dólares. Em 1996, recebeu uma proposta para trabalhar na Brahma. Na última entrevista antes de ser contratado, Castro Neves perguntou a Marcel Telles se havia chance de a cervejaria ser vendida para a Miller. Depois da associação das duas, em 1994, os rumores de uma eventual venda da empresa brasileira se multiplicaram. "Temos zero interesse em vender. A gente acabou de comprar esse negócio e vê isso como algo de super longo prazo", disse Marcel. E acrescentou: "Eu acho que um CEO tem um prazo na função. Já estou aqui há seis anos, devo ter mais uns quatro. Depois eu tenho que dar espaço para outra pessoa, para novas ideias... A não ser, sei lá, que a gente compre a Budweiser [principal marca da Anheuser-Busch]." Castro Neves achou a declaração um tanto maluca, mas avaliou que teria oportunidade de crescer na companhia. Decidiu aceitar o convite. Foi o início de uma trajetória que o tornaria o principal executivo da cervejaria em 2008.

Em 1º de julho de 1999, 45 dias depois de dar o pontapé inicial no Projeto Sonho, Brahma e Antarctica anunciaram a criação da American Beverage Company, a Ambev. A divulgação, prevista inicialmente para 7 de julho, teve de ser antecipada porque os papéis da Brahma começaram a subir de forma anormal na bolsa de valores – no dia 28 de junho, uma jornalista chegou a telefonar para a Antarctica para checar se os rumores da venda da cervejaria para a rival Brahma procediam (por meio de sua assessoria de imprensa, a Antarctica negou o "boato"). Por pouco uma trapalhada de Carlos Brito não colocou o anúncio em risco. Setenta e duas horas antes de comunicar a operação ao mercado, a companhia deveria informar o Cade, o Conselho Administrativo de Defesa Econômica. Brito era o responsável por enviar o documento, por fax. Por descuido, mandou o material para o número errado. Quando se deu conta da bobagem, tratou de consertar o estrago antes que o destinatário divulgasse a informação, ainda confidencial.

Na reta final, advogados, banqueiros, os principais interlocutores da Brahma e o publicitário Mauro Salles, contratado para estruturar a divulgação do negócio, quase não deixaram a *war room* (sala de guerra) montada na sede da GP. Marcel e Beto coordenavam a equipe de perto. Jorge Paulo Lemann acompanhava por telefone, dos Estados Unidos. O arranjo final previa uma troca de ações entre as empresas – Jorge Paulo, Marcel e Beto ficaram com 18,77% do capital total da nova empresa (e 46,08% do capital votante) e a Fundação Zerrenner com 10,44% do total (e 22,67% das ações com direito a voto). Cada uma das partes indicaria metade dos membros do conselho de administração da nova cervejaria. O acordo entre as duas companhias foi assinado na sala da GP, com a presença de não mais que uma dúzia de pessoas e sem muita festa. "A gente é ruim de comemorar", diz Roberto Thompson. "Só teve um brinde e foram todos dormir." Estava concluído aquele que, até então, era o maior negócio já realizado entre duas empresas brasileiras.

Faltava divulgar a transação. Uma coletiva de imprensa foi convocada na sede da Antarctica. Dois porta-vozes, Marcel Telles e Victório De Marchi, atenderiam os jornalistas (na véspera os dois haviam viajado a Brasília a fim de informar o presidente Fernando Henrique Cardoso do negócio). Diplomaticamente, Marcel fazia o possível para aparecer menos que De Marchi na entrevista – buscar os holofotes nunca fez parte de sua personalidade. A partir daquele momento, Marcel e De Marchi seriam copresidentes do conselho de administração da nova companhia. Com a Ambev, o Brasil entrava no jogo das grandes consolidações, um movimento que ganhava terreno rapidamente no exterior. A nova empresa, a quinta maior fabricante de cerveja do planeta, nascia com números impressionantes: 10 bilhões de reais de faturamento anual, 17 mil funcionários, 73% de participação no mercado de cervejas e 19% no de refrigerantes.

Apesar do clima de lua de mel, tão comum em anúncios desse tipo, a Ambev representava a soma improvável de duas empresas que se digladiaram por anos, com estilos de gestão completamente díspares. Na coletiva de imprensa essas diferenças ficaram evidentes até mesmo no guarda-roupa dos porta-vozes. Marcel Telles, chamado pelos jornalistas pelo primeiro nome, vestia calça e camisa jeans, paletó e sapatos esportivos. De Marchi, mais conhecido como "Dr. Victório", usava seu uniforme habitual: terno, camisa social e gravata. Para os funcionários da Brahma e da Antarctica, na integração que vinha pela frente, unificar o visual seria o menor dos problemas. A suposta "fusão" traria a reboque todos os traumas inerentes a esse tipo de movimento – choque de culturas, demissões, pressão por resultados. Não era difícil imaginar que lado levaria a melhor.

~

A primeira batalha – fechar o acordo com a Antarctica – estava ganha. Agora era preciso aprovar o negócio junto aos órgãos de defesa da concorrência. Mostrar ao Cade que deter mais de 70% do mercado não implicava monopólio nem traria prejuízo aos consumidores era uma tarefa particularmente árdua. O principal interlocutor da Ambev no governo era Victório De Marchi, um economista de gestos controlados, tom monocórdio e habituado a transitar em Brasília. Durante nove meses, período entre o anúncio da transação e sua aprovação pelo governo, De Marchi praticamente morou na capital federal. Ele se mantinha ocupado em reuniões com parlamentares e

técnicos do governo para explicar os detalhes do negócio. "O grau
de concentração que a fusão gerou exigiu um enorme esforço para
demonstrar às autoridades, e em especial ao Cade, as vantagens que o
negócio acarretaria", comenta De Marchi.

Para reunir argumentos convincentes, De Marchi contava com
uma equipe de quase 30 pessoas, entre elas advogados renomados
como Sérgio Bermudes, Ariosvaldo Mattos Filho e Paulo Aragão. João
Castro Neves, que até o anúncio estivera envolvido com a análise das
sinergias entre as cervejarias, agora viajava para Londres, Bélgica e
Estados Unidos a fim de conversar com renomados especialistas em
fusões e aquisições. "Um dos nossos advogados falou que o processo
seria cabeludo, então pra mim ficou claro que era preciso falar com
os maiores entendidos em legislação antitruste do mundo", lembra
Castro Neves.

A vida dos executivos da Ambev se tornou especialmente árdua
graças à ação da Kaiser. Na época controlada por engarrafadores da
Coca-Cola, a terceira maior cervejaria do Brasil se opôs publicamente ao negócio. O executivo Humberto Pandolpho, presidente da Kaiser, não poupava tempo e dinheiro para tentar solapar os planos da
nova concorrente. Sob sua orientação, a Kaiser produziu um dossiê
que previa um cataclismo para o setor cervejeiro. Segundo o estudo
encomendado, a formação da Ambev resultaria na demissão de 8 mil
funcionários, na redução da arrecadação de impostos e no aumento
de preços para o consumidor. O material foi fartamente distribuído a
parlamentares e formadores de opinião. Numa outra frente, dessa vez
jurídica, a Kaiser entrou com mais de 30 ações contestando o negócio
em diferentes cidades brasileiras. Enquanto a cervejaria fazia barulho,
a Ambev apanhava em silêncio – supostamente por ter sido alertada
pelo governo de que não devia transformar o tema em assunto de
mesa de bar.

Como o que é ruim sempre pode piorar, em setembro de 1999, dois meses após o anúncio do negócio e no auge da queda de braço com a Kaiser, Marcel Telles ficou doente e foi obrigado a se afastar do trabalho por quase um mês. Não era a primeira vez que isso acontecia. Em 1985, quando ainda dava expediente no Garantia, Marcel foi operado às pressas, diagnosticado com uma crise de colite. Catorze anos depois, ele voltou a apresentar os mesmos sintomas. Ele havia tirado uns dias de folga para descansar da tensão que envolveu a compra da Antarctica e pagar uma aposta que fizera com Adilson Miguel – se o negócio fosse mesmo fechado, os dois passariam alguns dias pescando no Panamá. De quebra, Marcel planejava aproveitar a curta temporada para fazer uma dieta, já que o processo de formação da Ambev lhe havia rendido alguns quilos extras.

Marcel e seu companheiro de pescaria navegavam pela América Central a bordo do iate *Sensation* quando o empresário começou a sentir um incômodo na região do abdômen. Logo a dor se tornou insuportável, obrigando-o a procurar um médico nos Estados Unidos. Ele ficou duas semanas internado até que um especialista americano descobrisse o que provocava tanta dor. Marcel tinha porfíria, uma doença rara e de difícil diagnóstico que consiste em uma espécie de envenenamento progressivo do sangue (a crise de colite que o levou às pressas para uma sala de cirurgia foi turbinada pela porfíria sem que o empresário ou seus médicos soubessem). Durante a viagem de barco, a combinação de dieta drástica e queda de glicemia levou o fígado a trabalhar de forma descontrolada, contaminando o sangue. Uma vez identificado o problema, bastou que Marcel tomasse um medicamento para se recuperar rapidamente.

Durante as quase quatro semanas em que o principal artífice da Ambev esteve fora da companhia, a Kaiser não economizou munição. O contra-ataque começou logo depois do retorno do empresário. A nova cervejaria intensificou o corpo a corpo e as campanhas publicitárias para convencer a opinião pública dos benefícios da formação da Ambev. Também passou a atacar diretamente a Kaiser. Na "sala de guerra" da Ambev, o colombiano naturalizado brasileiro Juan Vergara, então diretor de marketing da companhia, mantinha uma planilha com os nomes de todas as pessoas que deveriam ser abordadas por representantes da empresa. A lista, que elencava jornalistas, autoridades e outros formadores de opinião, era atualizada diariamente. Vergara queria saber quem era a favor do negócio e como mudar a opinião daqueles que se mostravam contrários à "fusão".

A disputa ficou mais pesada a partir de novembro de 1999, quando a Secretaria de Direito Econômico, vinculada ao Ministério da Justiça, recomendou a venda de todos os ativos da Skol, incluindo marca, fábricas e processos de distribuição. Sob o ponto de vista da Ambev, se a recomendação da SDE fosse seguida pelo Cade, a operação perderia todo o sentido. Qual a vantagem em juntar as duas companhias se o "pedágio" fosse perder uma das principais marcas?

Marcel e sua equipe partiram para o tudo ou nada. Uma das medidas mais agressivas foi levar à imprensa americana acusações contra a Coca-Cola, dona de uma fatia de 10% da Kaiser (embora os engarrafadores brasileiros controlassem a cervejaria, a matriz da Coca-Cola, em Atlanta, detinha também uma pequena participação). Foi o próprio Marcel quem jogou lenha na fogueira. "A Kaiser está tentando se mostrar como Davi quando na verdade é Golias", disse ele ao jornal *The New York Times*, em uma reportagem publicada no início de 2000. O empresário argumentava que, como a distribuição da cerveja Kaiser estava nas mãos dos engarrafadores do sistema Coca-Cola, as duas empresas eram indissociáveis. "Sem a Coca-Cola a Kaiser morreria", declarou. Para a maior fabricante de refrigerantes do mundo, que jamais quis ver seu nome associado ao comércio de bebidas alcoólicas, foi um golpe doloroso. E, pelo menos por alguns dias, a Kaiser recuou nos ataques.

Depois de meses de discussão, finalmente o Cade marcou o dia do julgamento da formação da Ambev: 29 de março de 2000. Àquela altura era impossível saber se o negócio seria aprovado e, em caso de aprovação, quais seriam as restrições. No dia marcado para o julgamento, a Kaiser divulgou que a 1ª Vara do Tribunal Regional Federal da 3ª Região, em São José dos Campos, no interior de São Paulo, havia concedido uma liminar suspendendo o julgamento. Para ser acatado pelo Cade, o documento deveria ser enviado diretamente do tribunal para um dos faxes da autarquia. O problema é que os aparelhos de fax do Cade não estavam funcionando – ou pelo menos era o que Humberto Pandolpho dizia. O presidente da Kaiser vociferou que as máquinas haviam sido propositalmente desligadas para beneficiar a Ambev. Para se defender, o Cade chegou a tirar fotos dos faxes em funcionamento e as mostrou aos jornalistas que acompanhavam o caso. Policiais federais foram chamados para fazer uma espécie de "escolta" dos aparelhos e garantir que nada interrompesse seu funcionamento. Segundo uma pessoa que acompanhou a situação de perto, as máquinas estavam funcionando perfeitamente. O que aconteceu foi que durante horas elas só receberam páginas escuras – eram folhas de papel carbono enviadas diretamente do QG da Brahma para ocupar as linhas telefônicas do Cade e evitar a chegada de liminares.

Ao final daquele dia, depois de quase nove meses de análise, o governo aprovou a criação da Ambev com algumas restrições. A principal delas foi a determinação da venda da marca Bavária (que pertencia à Antarctica) e de cinco fábricas da cervejaria para um único comprador. Nada que abalasse os ânimos de Marcel Telles, Jorge Paulo Lemann e Beto Sicupira, os controladores da nova supercervejaria brasileira.

Paris, Nova York, Londres, São Paulo e 8.500 e-mails

Comprar a Antarctica era uma coisa. Outra, completamente diferente, era fazer com que a Brahma e a antiga rival formassem, de fato, uma única companhia. Cada cervejaria tinha seus próprios processos de fabricação, vendas, marketing, recursos humanos – era preciso que todos eles fossem unificados. Marcel Telles escolheu Adilson Miguel para comandar a operação. Ao lado de sua equipe, Miguel analisou todos os detalhes do funcionamento da Antarctica e conheceu de perto seus principais profissionais. O que encontrou lhe pareceu familiar:

"A Antarctica era exatamente igual à Brahma antiga. A mesma cultura, os mesmos profissionais com bastante idade, o mesmo tradicionalismo... Ninguém mandava nada, ninguém ganhava dinheiro... Falei para o Marcel que a dose ali deveria ser a mesma, que deveríamos replicar tudo o que tinha sido feito na compra da Brahma. Depois da fusão ficou muita gente da Antarctica, mas eles foram saindo devagarzinho, não se adaptaram ao ritmo.

A pessoa que não está acostumada com o estilo da Ambev estranha. Quem chega em uma empresa como essa e pensa no curto prazo, em ter qualidade de vida, vai ter dificuldade. Você provavelmente vai ter menos tempo para sua família do que muitas pessoas estão habituadas, mas em compensação terá um outro tipo de benefício. Você não estará tão presente hoje, mas vai estar cuidando do futuro. Vai ganhar muito dinheiro e sua vida vai mudar. Foi isso que aconteceu com quem pegou o estilo da companhia. Todo mundo ganhou dinheiro pra caramba nesse negócio."

Digamos que os executivos oriundos da Antarctica não conseguiram enriquecer na Ambev. Com o passar do tempo, no topo da nova supercervejaria sobrou pouquíssima gente egressa da empresa paulista. Como se previa, a cultura da Brahma prevaleceu.

A nova companhia tinha mais musculatura, oferecia novas oportunidades e começava a traduzir a ideia do "sonho grande" que Marcel Telles e seus sócios repetiam à exaustão. A meritocracia pregada na antiga Brahma adquiria outra escala – e todos queriam aproveitar as oportunidades que se multiplicavam. Não é de admirar que a competitividade no ambiente de trabalho ganhasse fôlego novo. Estavam todos de olho nos bônus agressivos, nas promoções que viriam com a expansão e, sobretudo, na possibilidade de se tornarem sócios de uma companhia que parecia não enxergar limites ao crescimento.

Uma reportagem da revista *Exame* publicada em dezembro de 2000 refletia o estado de espírito daquela turma com "faca no dente" e "sangue no olho". Muitos funcionários trabalhavam mais de 10 horas por dia, davam expediente no fim de semana, mudavam de cidade (e até de país) para atingir suas metas. Pelas regras do sistema de bonificação da época, apenas metade dos funcionários elegíveis a bônus seria recompensada, o que deixava claro que, para alguns ganharem, outros tinham de perder. Naquele ambiente, até as brincadeiras eram um tanto hostis (assim como acontecia no Garantia). No curso de MBA interno oferecido pela cervejaria a 50 de seus melhores talentos, uma das práticas recorrentes era atirar tomates feitos de feltro em colegas que dissessem bobagens. O infeliz que protagonizasse as maiores besteiras ganhava o título de "pato novo". "Naquele momento a companhia precisava de vigor, de trabalho, de gente nova. Era massacrante? Reconheço que era, mas a forma de compensação também era maravilhosa", explica Magim Rodrigues. Ao longo dos anos a Ambev foi punida muitas vezes pela justiça por casos de assédio moral contra funcionários. No início de 2012, por exemplo, o Tribunal Superior do Trabalho condenou a cervejaria a pagar uma indenização de 100 mil reais a um ex-vendedor que era obrigado e passar por um "corredor polonês" quando não batia suas metas.

De todo modo, os ganhos para aqueles que alcançavam suas metas eram excepcionais. A cervejaria sempre pagou salários ligeiramente abaixo do mercado, mas a remuneração variável, que podia chegar a 18 salários extras por ano, compensava com folga. Ao longo dos anos, o sistema sofreu diversos ajustes, mas os princípios básicos se mantiveram. Os bônus distribuídos são em geral utilizados pelos funcionários para adquirir ações da companhia e há sempre alguma "trava" para o resgate dos papéis no curto prazo. Atualmente quem usa todo o seu bônus para comprar papéis da cervejaria ganha 10% mais do que adquiriu. O truque é que esse prêmio só pode ser resgatado depois de cinco anos – aqueles que vão embora antes do prazo têm de abrir mão das ações extras que receberam. "Não está escrito em lugar nenhum que é obrigação usar o bônus para comprar ações, mas todo mundo sabe que esse é o comportamento esperado", explica um sócio. "Adquiri-las é uma demonstração de que o funcionário acredita no futuro da companhia."

Ano após ano, o lucro aumentava (mesmo em 1998, quando não houve pagamento de bônus, o resultado foi positivo). A empresa detinha 70% do mercado nacional e precisava buscar novas oportunidades fora do Brasil. Intensificar a expansão pela América Latina parecia o caminho óbvio a seguir. Desde 1994, quando a Brahma iniciou uma pequena operação na Venezuela, a cervejaria perseguia sua internacionalização. Havia chegado a hora de acelerar o processo. Em 2001 a Ambev comprou a Cervecería Nacional, do Paraguai, e em 2002 deu um passo mais largo, com a aquisição de 36% da argentina Quilmes. A compra da concorrente argentina foi cercada de polêmica. Na época, uma das acionistas da Quilmes era a holandesa Heineken, com 15% de participação. Para a Heineken, concentrada no maduro mercado europeu, expandir-se por outras regiões era crucial – e entregar a Quilmes de bandeja não fazia parte de seus planos. Os holandeses chegaram a entrar com um pedido de arbitragem na Câmara Internacional de Comércio, em Paris, para tentar barrar a compra da cervejaria argentina pela Ambev. Não conseguiram. A Ambev levou a Quilmes e, meses depois, ainda arrematou os 15% dos holandeses.

~

Cercada por montanhas, a cidade de Boulder, no estado americano do Colorado, abriga pouco mais de 100 mil habitantes. Há mais de uma década, os executivos e os controladores da Ambev viajam para esse lugar pacato para participar de um workshop com Jim Collins, autor de livros considerados clássicos do mundo dos negócios, como *Feitas para durar* e *Empresas feitas para vencer*. Collins é um velho conhecido de Jorge Paulo Lemann.

Nas reuniões que conduz em Boulder com Jorge Paulo e sua equipe, Collins se vale do método socrático: faz perguntas e ajuda os interlocutores a chegarem às suas próprias conclusões. Durante o workshop realizado em dezembro de 2002, uma das questões levantadas por Collins deixou Marcel Telles especialmente perturbado. O guru perguntou ao grupo qual era o grande problema da Ambev. Marcel pensou por alguns instantes e deu a seguinte resposta: "O grande problema é que temos gente boa pra caralho e uma diretoria novíssima. E eu não quero perder esses caras maravilhosos que a gente está formando." Marcel percebeu que os jovens ambiciosos que se dedicou a formar não aguardariam oportunidades de ascensão na carreira por muito tempo. A conclusão era inevitável: ou a companhia crescia num salto e dava chance para mais gente subir, ou perderia alguns de seus melhores profissionais. A Ambev precisava de um movimento maior e mais rápido do que as aquisições na América Latina. Marcel Telles achou que era o momento de marcar um encontro com um antigo conhecido, Alexandre van Damme, membro de uma das três famílias controladoras da cervejaria belga Interbrew, fabricante das marcas Stella Artois e Beck's.

Os dois haviam se conhecido em 1995, no escritório do banco Lazard em Nova York. À época, tanto a Brahma quanto a cervejaria europeia "namoravam" à distância a Anheuser-Busch. Nenhuma reunia condições de comprar a gigante americana naquele momento, mas os banqueiros do Lazard pensaram que não havia mal algum em colocar os controladores da Brahma e da Interbrew na mesma sala.

Aquelas conversas deram em nada, mas Marcel e Van Damme passaram a manter contato. Marcel aproveitou a proximidade para convidar o belga para um café da manhã num hotel de Nova York, no início de 2002. Assim que chegou ao local combinado, Van Damme encontrou o brasileiro acompanhado por dois sujeitos que desconhecia – Jorge Paulo Lemann e Beto Sicupira. A possibilidade de um negócio envolvendo as duas empresas não foi levantada em momento algum.

A partir do encontro em Nova York, coube a Jorge Paulo estreitar o relacionamento com Van Damme. O empresário convidou o belga para assistir aos desfiles das escolas de samba do Rio de Janeiro, no camarote da Brahma. Tempos depois, com as respectivas famílias, passaram dias ensolarados nos Hamptons, balneário de luxo próximo a Nova York. Em meados daquele ano, reencontraram-se nos Alpes suíços. Van Damme, ele próprio um sujeito pouco afeito à exposição na imprensa, gostava do jeitão discreto e pé no chão do trio de controladores da Ambev. Um vínculo precioso se formava.

A Interbrew vivia um ponto de inflexão. Era a terceira maior cervejaria do mundo em volume, mas não agia como uma companhia única – depois de uma série de aquisições no Leste Europeu, na Ásia e no Canadá, parecia uma "federação de companhias", sem uma cultura única. A opinião de investidores e analistas era que a cervejaria pagava um preço muito alto pelas compras ao redor do mundo e depois não conseguia integrar as operações.

Em grande medida, o movimento se devia à interferência das três famílias controladoras na gestão. Com origens que remontam ao século XIV, a Interbrew era dominada pelas dinastias Van Damme, Mevius e Spoelberch. Juntas, elas somavam quase 500 membros, muitos deles com títulos de nobreza. Como normalmente acontece com clãs aristocráticos, em que barões, condes e viscondes se divertem em meio a caçadas de faisões, os hábitos das famílias eram caros – e, pior, bancados pela empresa. Na cervejaria a regra era a opulência. Reuniões executivas e do conselho aconteciam em hotéis de luxo e, não raro, contavam com o serviço de champanhe. Havia tantos interesses a conciliar que o posto de principal executivo se tornara uma espécie de cadeira elétrica: em menos de duas décadas houve cinco substituições.

O cenário era perfeito para uma investida. Em um encontro com Van Damme, em maio de 2003, Jorge Paulo sugeriu a possibilidade de uma união entre as duas companhias, ainda sem entrar em detalhes sobre o formato do negócio, a composição acionária ou a governança. O belga, a essa altura praticamente um aliado, gostou da ideia.

Cada lado destacou uma pessoa de sua confiança para iniciar as negociações. O trio de brasileiros escolheu Roberto Thompson. O representante dos belgas foi o holandês Remmert Laan, sócio do banco Lazard e membro do conselho de administração da cervejaria. Poucas semanas depois da conversa entre Jorge Paulo e Van Damme, Thompson e Laan se encontraram em Paris, numa sala de reuniões do hotel Le Bristol, tradicional cinco estrelas situado na rue du Faubourg

Saint-Honoré. A localização era prática – menos de 500 metros de distância separam o hotel do escritório do Lazard – e discreta. Em cerca de um mês eles se reuniram quatro vezes no hotel parisiense. Falaram ao telefone outras tantas vezes. Foi quando a negociação empacou. O negócio proposto se baseava em troca de ações e não em dinheiro, portanto uma questão fundamental era avaliar quanto os donos da Ambev teriam da nova empresa. Nesse quesito, as expectativas de Thompson e de Laan eram um bocado diferentes. "Tivemos uma primeira bateria de conversas e não chegamos a um acordo", lembra Thompson.

Passaram-se dois meses sem que os dois interlocutores se falassem, até que, em setembro de 2003, Laan telefonou para o brasileiro e sugeriu que voltassem a conversar. Thompson retornou ao hotel Le Bristol:

"*Tínhamos duas folhas de papel. Uma era para a questão financeira, em que o principal ponto a ser abordado era quanto valeria a nossa parte na nova empresa. A outra folha era sobre governança, como seria composto o conselho da companhia, que atribuições ele teria e como funcionaria a holding que formaríamos com os belgas. Estabelecemos que algumas coisas só poderiam ser definidas por unanimidade, como, por exemplo, vender a companhia. Toda essa questão de governança era muito importante porque não adiantava nada ter uma porcentagem X de um negócio que não funcionasse. Escrevemos essas duas folhas, levamos para os acionistas e dissemos que eles tinham que se conhecer melhor. Jorge, Marcel e Beto conheciam o Van Damme, mas não as outras famílias. No final de setembro os três tiveram uma reunião com o próprio Van Damme, Philippe Spoelberch e Arnoud de Pret de Calesberg (representante dos Melvius). Depois disso, as negociações aceleraram.*"

Na primeira semana de outubro de 2003, numa reunião na casa de Spoelberch em Bruxelas, os três líderes de cada uma das cervejarias, acompanhados de Thompson e Laan, definiram as bases do contrato. Foi só então que banqueiros e advogados entraram em cena. Do lado dos belgas, os assessores financeiros foram Lazard Frères e Goldman Sachs. Os brasileiros contrataram o Citibank de Nova York (onde estava o ex-Garantia José Olympio Pereira) e Luis Rinaldini, um argentino criado nos Estados Unidos que ganhou fama no Lazard, onde trabalhou por mais de duas décadas. Rinaldini havia deixado recentemente o Lazard para abrir sua própria empresa. No dia 15 de outubro, uma reunião entre os banqueiros e os negociadores das duas cervejarias, realizada na sede do escritório de advocacia Cravath, Swaine & Moore, em Nova York, marcou o início oficial da negociação. Havia na sala cerca de 30 pessoas. Jorge Paulo Lemann representou o trio de controladores da Ambev.

Tão complexos quanto a estruturação financeira eram os aspectos jurídicos que envolviam o negócio. A Ambev tinha ações listadas nas bolsas de valores de São Paulo e de Nova York. A Interbrew, na de Bruxelas. Ambas mantinham operações em diversos países do mundo. Enfim, um enrosco. Aloysio Miranda Filho, sócio do escritório Ulhôa Canto, foi o responsável por assessorar a Braco, holding que reunia a participação de Jorge Paulo, Marcel e Beto na Ambev (a holding que cumpre esse papel hoje se chama BR Global). A partir de então, Miranda Filho, um ex-aluno do Colégio Santo Inácio, onde foi contemporâneo de garotos que viriam a se tornar sócios do Banco Garantia, como Fernando Prado e Marcelo Barbará, não se dedicou a outra coisa a não ser pensar na transação. Quase 50 pessoas do seu escritório foram também envolvidas no processo. O assessor jurídico da Ambev era o advogado Paulo Aragão. "A gente tinha reunião nos mais diversos cantos do planeta: em Paris, em Nova York, em Londres, em São Paulo. No final havia na mesa advogados de 16 países diferentes... Foram 8.500 e-mails trocados durante os seis meses de negociação", lembra Aragão. Internacionalmente, o Cravath coordenava o trabalho. Havia ainda um último advogado que devia aprovar todos os documentos: o suíço Peter Nobel. Formado pela Universidade de St. Gallen, Nobel foi membro por 12 anos da comissão federal que regula o setor financeiro na Suíça. É um velho conhecido de Jorge Paulo Lemann e desfruta sua total confiança.

Uma das preocupações dos controladores da Ambev se referia à reação do governo brasileiro ao fechamento do negócio. Eles acharam prudente checar antes para evitar problemas futuros – o desgaste de meses para a aprovação da compra da Antarctica pela Brahma ainda ecoava na memória. Em janeiro de 2004 Beto Sicupira viajou até Brasília para conversar com o então ministro da Casa Civil José Dirceu. Desde 2000, quando criou a Fundação Brava, ONG que apoia projetos de gestão no setor público, Beto se aproximou de diversos representantes do governo. Ele explicou a Dirceu as linhas gerais da transação e sondou qual seria a posição do Planalto caso o negócio fosse adiante. Recebeu sinal verde do braço direito do presidente Lula. Era o "sim" que faltava.

Mesmo com tudo conspirando a favor, concluir uma transação daquela magnitude e com tantas pessoas envolvidas – ao final havia quase 500 profissionais participando do negócio, entre advogados, banqueiros, executivos, auditores, marqueteiros e relações-públicas – foi uma tarefa complicadíssima. A redação do acordo de acionistas entre a Braco e as famílias belgas, que precisava conciliar os interesses de dezenas de membros, causou dor de cabeça. Os assessores da Braco chegaram a propor que o acordo fosse assinado apenas depois do anúncio oficial do negócio entre as cervejarias. Peter Nobel, o advogado suíço que aconselhava Jorge Paulo Lemann, vetou a ideia. Nobel considerava arriscado seguir em frente antes que todos os interesses estivessem alinhados. Miranda Filho embarcou para a Bélgica para conversar com representantes de cada família, em busca de um consenso. "Várias vezes a transação esteve a ponto de não acontecer. Até na véspera houve uma confusão. Às duas horas da manhã, um cara de um dos bancos disse que não poderia cumprir um ponto que havia sido combinado. Começou a maior gritaria...", lembra Thompson.

Depois de incontáveis idas e vindas, na madrugada de 2 de março de 2004 a transação foi concluída. Jorge Paulo, Marcel e Beto não estavam presentes no momento em que tudo ficou decidido. Miranda Filho telefonou para Marcel, avisando que agora só faltavam as assinaturas – pelo lado dos belgas mais de 100 membros precisariam rubricar o acordo. Exausto, Marcel disse o seguinte: "Aloysio, você é advogado... Faz um discurso aí, faz um brinde, porque eu vou dormir."

Assim que amanheceu, Marcel, Beto e Jorge Paulo se dividiram para avisar algumas pessoas-chave antes que o negócio fosse oficialmente anunciado. Beto telefonou para os acionistas da mexicana Modelo. De Zurique, Jorge Paulo ligou para amigos como o megainvestidor Warren Buffett. Coube a Marcel informar August Busch IV, o CEO da Anheuser-Busch. Naquela mesma noite Busch IV e Marcel jantaram em um restaurante em Londres, e o empresário brasileiro contou ao americano como foi formada a nova gigante global.

~

Em 1999, quando a Brahma comprou a Antarctica para formar a Ambev, os acionistas e executivos da companhia foram submetidos ao escrutínio público. Órgãos reguladores, políticos, investidores, associações de defesa do consumidor – todos se manifestaram sobre o negócio (em geral, contra). Foi preciso empreender um enorme corpo a corpo com formadores de opinião para reverter o quadro. O anúncio da associação entre Ambev e Interbrew teve efeito ainda mais dramático – dessa vez, em escala global. Em 3 de março de 2004, quando as companhias comunicaram oficialmente sua "fusão", a reação geral foi de perplexidade. Embora a notícia sobre uma iminente troca de ações tivesse sido publicada dias antes, os detalhes do negócio ainda eram desconhecidos – e eram justamente esses "detalhes" que o tornavam tão polêmico.

Por meio de uma troca de ações, Interbrew e Ambev, respectivamente terceira e quinta maiores cervejarias do mundo em volume, formaram uma nova companhia que nascia como a líder do setor cervejeiro (em volume, uma vez que em faturamento a Anheuser--Busch ainda permanecia na dianteira). Inicialmente chamada InterbrewAmbev – o nome InBev foi adotado dias depois do anúncio – , a empresa somava receitas anuais de quase 12 bilhões de dólares, atuava em 140 países e detinha 14% do mercado global de cervejas. A companhia era um colosso com números superlativos para onde quer que se olhasse. Mas uma questão martelava a cabeça de investidores, analistas e jornalistas: quem mandava ali?

A transação entre Ambev e Interbrew, a maior da história envolvendo uma companhia brasileira, apresentava uma arquitetura que parecia estar numa zona cinzenta. A Braco, holding de Jorge Paulo, Marcel e Beto que controlava a Ambev, vendeu sua participação de 52% na cervejaria brasileira para os belgas. Em troca, comprou 25% dos papéis da Interbrew. O negócio previa ainda que a Labatt, operação canadense que pertencia aos belgas, fosse incorporada pela Ambev (a cervejaria brasileira assumiria a dívida de cerca de 1,5 bilhão de dólares da Labatt). A Ambev continuaria a operar como uma empresa separada, listada em bolsa e com seu próprio corpo de executivos. Analisados friamente, os números demonstravam que a Interbrew agora era a dona da cervejaria brasileira, ainda que o trio de brasileiros tivesse conquistado uma participação relevante na nova companhia.

A questão é que as regras de governança da InBev não deixavam claro quem seria o manda-chuva – o acordo de acionistas válido por 20 anos estabelecia que o controle seria compartilhado. O conselho de administração teria quatro membros representando a Braco, quatro representando os belgas e seis independentes. O CEO da nova empresa seria o americano John Brock, que havia quase dois anos comandava a Interbrew. O recém-criado comitê de convergência, montado para unificar a cultura das duas empresas e padronizar as operações, estaria sob a supervisão de Marcel Telles. A sede da nova empresa seria em Leuven, onde estava baseada a Interbrew.

A distribuição do capital, a escolha do CEO e a definição da sede davam sinais claros de que a Ambev havia sido comprada. Se não bastassem as aparências, a equipe de relações públicas contratada pela Interbrew, a Brunswick, de origem inglesa, tratou de divulgar o negócio na Europa logo pela manhã como uma aquisição. Por conta da diferença de fuso horário, a versão belga já tinha ganhado o mundo quando os jornalistas do Brasil se reuniram no hotel Hilton, em São Paulo, para ouvir o que os executivos da Ambev tinham a dizer. A confusão era total. Em poucas horas a Máquina da Notícia, agência de comunicação contratada pela Ambev no Brasil, foi obrigada a aumentar de 12 para 48 o número de profissionais envolvidos na operação (internacionalmente a divulgação estava nas mãos da americana Edelman).

Os dois porta-vozes da coletiva eram Victório De Marchi e Carlos Brito, que um ano atrás havia assumido o posto de principal executivo da Ambev, sucedendo Magim Rodrigues. Ao lado do palco armado para acomodar De Marchi e Brito estavam o banqueiro José Olympio Pereira e o advogado Paulo Aragão. Quem presenciou a entrevista ainda se lembra de que aquilo parecia conversa de maluco. O pessoal da Ambev tentava a todo custo argumentar que a empresa não havia sido comprada. Os jornalistas pressionavam. Como isso era possível se a Interbrew seria a maior acionista da cervejaria brasileira? E mais: se a Ambev havia sido criada anos antes supostamente para se proteger da investida de concorrentes estrangeiros e formar uma "multinacional verde-amarela", como justificar o negócio com os belgas? O discurso da Ambev, de que aquilo se tratava de uma fusão, simplesmente não colava.

Na manhã daquela quarta-feira, os funcionários que trabalhavam na sede da Ambev também foram surpreendidos pela notícia. Um telão transmitiu a coletiva de imprensa em Bruxelas, capitaneada por John Brock e Marcel Telles. Logo depois foi exibido um vídeo que Marcel deixou gravado. Mais tarde, a área de convivência na sede da cervejaria – um espaço repleto de mesas de bar e chopeiras com bebida à vontade – foi tomada por um animado happy hour, em que não faltaram brindes com as marcas Brahma e Stella Artois. À noite, em rede nacional, uma propaganda estrelada pelo ator Antonio Fagundes tentava explicar para o público os benefícios do negócio. O responsável pela campanha foi o publicitário Duda Mendonça, frequente interlocutor do então presidente Lula.

O clima de festa no QG da Ambev não durou até o dia seguinte. Reportagens em jornais de todo o mundo questionavam o formato do negócio e os valores envolvidos. A fatia da Braco na Ambev foi avaliada em cerca de 2 bilhões de dólares, mas o trio de empresários recebeu 4 bilhões de dólares em ações da InBev (a diferença é resultado do chamado "prêmio de controle"). Paralelamente, alguns analistas consideraram exagerado o valor que a Ambev desembolsou pela canadense Labatt – o cálculo foi de 11 vezes sua geração de caixa, enquanto o múltiplo habitual do setor não passava de oito. O resultado de tanta desconfiança se refletiu no preço das ações das cervejarias, que desabou. Com os papéis em queda, a euforia evaporou. Os funcionários, que usavam boa parte de seus bônus para comprar ações da cervejaria, de uma hora para outra viram seu patrimônio cair pela metade. Começaram os boatos. Será que a era de Jorge Paulo Lemann, Marcel Telles e Beto Sicupira tinha realmente acabado com a venda da Ambev para a Interbrew?

Foi preciso colocar em ação um plano de contingência para acalmar os ânimos dentro e fora da companhia. A mensagem de Marcel Telles, transmitida na Ambev por Carlos Brito, era mais um pedido de confiança que uma explicação racional. O empresário simplesmente pedia aos funcionários que acreditassem nele. "Usei ali toda a minha credibilidade. Ainda bem que eu tinha estoque", disse Marcel certa vez. Embora já soubesse que a gestão da InBev acabaria nas mãos dos brasileiros, o empresário não podia dizer em público que esse era o plano, sob risco de criar um conflito desnecessário com o novo sócio.

Victório De Marchi engatou uma maratona de visitas aos diretores dos maiores jornais brasileiros para explicar a operação. Carlos Brito, habitualmente avesso a jornalistas, concedeu entrevistas exclusivas para alguns grandes veículos de comunicação. Jorge Paulo Lemann foi pessoalmente relatar os detalhes do negócio a barões da mídia como Roberto Civita, dono da editora Abril. A imprensa estava em polvorosa. Na *war room* organizada para atender os jornalistas foram recebidas 482 solicitações de informações e entrevistas nas primeiras 48 horas após o anúncio.

Nenhuma crítica ao negócio foi mais sentida por Jorge Paulo Lemann do que a reportagem publicada pela revista britânica *The Economist* poucas semanas depois. Para a revista, o mercado de capitais brasileiro, que permitia a existência de duas classes de ações – ordinárias (as chamadas ON, com direito a voto) e preferenciais (PN, sem direito a voto) –, prejudicava os minoritários. O caso da Ambev, segundo a publicação, era emblemático dessa anomalia. Como manda a Lei das S/A, que regulamenta as empresas listadas na Bovespa, a Interbrew fez uma oferta pública para comprar as ações ordinárias (com direito a voto) que não estavam nas mãos do trio de empresários. Ofereceu por elas 80% do que pagou aos controladores da cervejaria. O problema é que, também pela Lei das S/A, a cervejaria não era obrigada a estender esse direito, conhecido como *tag along*, aos donos de ações preferenciais (sem direito a voto). Assim, quem tinha nas mãos papéis PN se sentiu prejudicado – nas palavras da revista, esses acionistas sentiam que acabaram com "lixo" nas mãos. Nos dias que se seguiram, a percepção só piorou: as ações ordinárias tinham disparado e as preferenciais estavam em queda livre. "Poucas vezes vi o Jorge tão bravo com uma reportagem", revela uma pessoa próxima ao empresário. Para ele, a queixa dos minoritários não fazia qualquer sentido – ao escolher as preferenciais, os acionistas sabiam das limitações desses papéis. "É como comprar um Fiat e achar que tem direito a uma Ferrari na garagem", costuma dizer Jorge Paulo sobre o assunto.

A matéria da *Economist* amplificava mundialmente as queixas de minoritários como a Previ, o poderoso fundo de pensão do Banco do Brasil, que detinha cerca de 8,8% do capital total da Ambev (quase todo o volume em PNs). Desde que o negócio fora anunciado, a Previ havia demonstrado publicamente seu desagrado. Para o fundo, a transação beneficiava apenas o trio controlador. O maior temor de Jorge Paulo, Marcel e Beto é que a gritaria fosse levada à justiça, se transformasse numa guerra de liminares e colocasse em risco a continuidade da transação. Eles queriam evitar a todo custo um embate como o que aconteceu na época da compra da Antarctica pela Brahma, quando a Kaiser se armou de argumentos jurídicos para atrasar a aprovação do negócio pelos órgãos de defesa da concorrência. Por sugestão de Marcel, o advogado Sergio Bermudes foi contratado pela Ambev para fazer as vezes de um minoritário e esmiuçar todos os detalhes do negócio a fim de encontrar eventuais brechas (de quebra, a tática de Marcel impedia que Bermudes, um dos advogados mais famosos do país, atuasse em favor da Previ). Não havia nada que obrigasse a Interbrew a dar tratamento especial aos donos das ações preferenciais. Os minoritários tiveram de se conformar e, com o tempo, as ações voltaram a subir. Desde então elas se valorizaram quase 700%, contra 150% do Ibovespa.

O trio de empresários teve de lidar ainda com outro imbróglio. A Comissão de Valores Mobiliários, CVM, abriu processos administrativos para investigar o uso de informações privilegiadas pelos três e outras supostas irregularidades que teriam acontecido durante a negociação com a Interbrew, beneficiando os controladores da Ambev. No final de 2009, Jorge Paulo, Marcel e Beto firmaram um acordo com a autarquia para extinguir os processos – em troca, pagaram mais de 18 milhões de reais à CVM. Para muita gente, o desfecho soou como admissão de culpa. O advogado Paulo Aragão, que os defendeu no caso, tem outra explicação. "A premissa formal dos termos de compromisso da CVM é exatamente que não há admissão de culpa nem reconhecimento de inocência", diz ele. "Nosso objetivo foi simplesmente colocar uma pedra no assunto."

Ao longo de décadas Jorge Paulo Lemann e seus sócios se habituaram a comprar empresas e impor sua cultura baseada em meritocracia. Quando o Garantia arrematou a Lojas Americanas, Beto Sicupira teve carta branca para imprimir seu estilo à varejista. Em pouco tempo ele trocou os principais executivos, mudou o sistema de remuneração variável, estabeleceu metas para os funcionários. Um roteiro semelhante foi percorrido por Marcel Telles anos depois, quando o banco adquiriu o controle da Brahma. Nos dois casos, Beto e Marcel eram, de fato e de direito, os novos donos daquelas companhias e podiam fazer o que julgassem necessário para melhorar seus resultados. Eles não tinham que compor com outros acionistas nem se preocupar em ser populares. Os funcionários que não gostassem das novas regras que fossem embora.

O negócio com a Interbrew, porém, exigiu outra abordagem. Dessa vez eles não eram os conquistadores. A Ambev havia sido comprada e os empresários brasileiros não podiam simplesmente chegar na sede da InBev impondo sua filosofia. Sutileza, diplomacia e uma certa dose de paciência seriam fundamentais. O jogo teria regras diferentes daquelas com as quais estavam habituados. Era preciso se adaptar aos novos termos.

Logo após a conclusão do negócio, representantes das três famílias belgas acompanharam Jorge Paulo, Marcel e Beto em uma viagem até o Colorado para participar de um dos tradicionais workshops com Jim Collins. "Jorge dizia que era preciso criar uma cultura única na empresa e que o conselho de administração seria o melhor ponto de partida para isso", afirma Collins. Ninguém melhor que ele, um dos mentores de Jorge Paulo, para ajudar a unificar essa filosofia.

Pelas regras estabelecidas na negociação, o americano John Brock, CEO da Interbrew, comandaria a InBev. Em contrapartida, o principal executivo financeiro da cervejaria seria Felipe Dutra, da Ambev. O comitê de integração, chefiado por Marcel, imediatamente entrou em operação para identificar os melhores processos e pessoas de cada empresa. "Desde o começo ficou claro para os principais executivos oriundos da Interbrew que, embora as principais decisões fossem tomadas em conjunto por todos os acionistas, o estilo de gestão que acabaria prevalecendo seria o da Ambev", afirma uma pessoa próxima das famílias belgas.

Nem todos os remanescentes da Interbrew aprovavam a interferência brasileira. À medida que a presença de Marcel, Dutra e outros brasileiros na sede da InBev se tornava mais nítida, a resistência se espraiava por todos os níveis da companhia. Da base ao topo, os funcionários da antiga Interbrew ficavam chocados com práticas que consideravam agressivas e avarentas demais. Para eles, acostumados a estabilidade no emprego, equilíbrio entre vida profissional e pessoal e um governo rico capaz de garantir saúde, educação e segurança para todos os cidadãos, a busca desenfreada dos brasileiros por dinheiro fazia pouco ou nenhum sentido. Ali, as "cenouras" tradicionais – os bônus gordos e a possibilidade de se tornar sócio da companhia – não tinham apelo. Um operário da fábrica de Leuven resumiu, à época, o sentimento que tomava conta de parte considerável dos funcionários: "Querem diminuir nosso salário fixo e aumentar a remuneração variável, mas não estamos interessados em ganhar bônus. Se quiserem nos mandar embora por causa disso não há problema algum, porque o Estado vai fornecer tudo o que precisamos."

No nível executivo o ambiente também era de conflito. O pessoal oriundo da Interbrew não gostou nada do fim de uma série de mordomias, como os voos em classe executiva (agora autorizados apenas para viagens com mais de seis horas de duração), da quebradeira que acabou com as salas individuais e integrou a diretoria, das mudanças no sistema de remuneração variável (entre outras alterações, os bônus, antes pagos em dinheiro, passaram a ser pagos em ações). Durante um evento da companhia em São Paulo, meses depois da criação da InBev, um executivo belga se queixou publicamente por ter de dividir o quarto com um colega de trabalho. Meta demais e luxo de menos – as coisas realmente estavam mudando por ali. "Algumas pessoas gostam e a maioria detesta, mas nossa cultura é imutável", disse Marcel anos atrás.

Nessa fase, embora não tivesse função executiva, Marcel dava expediente quase diário na cervejaria. Foi conhecer diversas operações espalhadas pelo mundo. Conversava com funcionários. Queria ver de perto como funcionava cada área. Era como se estivesse novamente diante da integração entre Brahma e Antarctica – só que numa escala global. Todos os meses o comitê de integração se reunia para falar sobre os avanços e discutir as próximas etapas (o grupo só foi dissolvido quase três anos após a formação da InBev). Logo os primeiros resultados da interferência dos brasileiros começaram a aparecer. No primeiro semestre de 2005, o lucro da cervejaria aumentou 11% em relação ao mesmo período de 2004, quando a transação foi anunciada. No mesmo período, as vendas cresceram 5,5%.

Além de fazer um esforço para que os belgas encampassem suas ideias, Marcel e seus sócios atuavam em outra frente: aumentavam progressivamente sua participação acionária na InBev. Pouco tempo depois do anúncio da formação da nova cervejaria, eles começaram a comprar ações da companhia no mercado. Em menos de um ano tinham se tornado os maiores acionistas individuais da InBev.

À medida que o trio avançava – por meio do aumento de participação acionária e de sua influência na gestão –, os executivos resistentes ao novo modelo se afastavam. Como Marcel e seus sócios imaginavam que aconteceria, os descontentes foram pouco a pouco deixando a companhia. Agora todos aqueles talentos "represados" na Ambev poderiam finalmente ocupar espaços maiores. Nomes como Miguel Patricio, Claudio Garcia e Juan Vergara – todos veteranos de Ambev – assumiram cargos globais na cúpula da InBev.

A ascensão mais simbólica da nova era foi a de Carlos Brito ao cargo de CEO, anunciada em dezembro de 2005. Na Bélgica, a repercussão foi a pior possível. "Investidores e jornalistas diziam que os brasileiros, inicialmente comprados pela Interbrew, tinham se mostrado mais espertos e assumido o comando", comenta uma pessoa próxima às famílias controladoras da Interbrew. "Mas os acionistas belgas achavam que os melhores é que deveriam estar no comando, independente da cor do passaporte."

Fazia tempo que Brito vinha sendo preparado para o posto. Ele havia assumido o comando da Ambev em 2003. No ano seguinte, logo depois da compra da Ambev pela Interbrew, o executivo foi chamado para uma conversa por Marcel Telles, que fez um daqueles seus "convites" irrecusáveis:

– Brito, você hoje é o número um aqui no Brasil. Só que agora a companhia mudou e você precisa se provar fora do Brasil também. Então, você vai para o Canadá cuidar da Labatt.

– Marcel, mas o Canadá? O Canadá é muito pequeno se comparado com o Brasil!

– Se você quer algum dia ser CEO global da empresa, vai ter que se provar fora do Brasil também.

Brito acreditou no chefe. Embarcou com a mulher e os filhos para a América do Norte. Pouco mais de um ano depois, se tornou o principal executivo da InBev no mundo.

A pergunta "quem vai mandar na empresa?", repetida incontáveis vezes por analistas, jornalistas e investidores logo depois do anúncio da transação entre Interbrew e Ambev, começava a ser respondida.

A recompensa
de 1 bilhão de dólares

oucos meses depois da compra da Ambev pela Interbrew, Jorge
Paulo Lemann, Marcel Telles e Beto Sicupira decidiram abrir
uma empresa de investimentos nos Estados Unidos. O objetivo
do negócio era alocar parte do patrimônio do trio diretamente em
companhias americanas – e não apenas por meio de fundos, como
ocorria até então. Gente para tocar o novo empreendimento não era
problema. Alexandre Behring, o homem que havia transformado a
sucateada ferrovia ALL em uma das companhias mais valorizadas do
mercado de capitais brasileiro, tinha acabado de passar a presidência
para Bernardo Hees e estava pronto para começar algo novo. Com sua
experiência anterior como sócio da GP Investimentos, Behring sabia
como identificar empresas em dificuldades que pudessem melhorar
seus resultados com um choque de gestão.

A sugestão de Behring foi transformar o Sinergy, criado em Nova
York em 1997 por Paulo Lemann, filho de Jorge Paulo, em um fundo
de private equity (a essa altura Paulo já havia se desligado da firma
americana para fundar a gestora de recursos Pollux). Havia um cuidado a tomar. O trio não queria repetir nos Estados Unidos a experiência que teve na GP, com sua miríade de investimentos. O fundo
americano deveria se concentrar em pouquíssimas tacadas. Nascia o

3G Capital – o nome é uma referência direta aos três ex-donos do Garantia.

Assim como nos negócios anteriores, o modelo também seria o de *partnership*. Roberto Thompson e Alexandre Behring foram os primeiros sócios de Jorge Paulo, Beto e Marcel na nova empreitada. O início do 3G foi uma fase de experimentação e aprendizado. De um escritório localizado no 31º andar de um prédio na Terceira Avenida, no coração de Manhattan, a firma tocada por Behring arrematava pequenas participações em empresas americanas como a Coca-Cola. Eram compras tímidas, que ainda não permitiam ao 3G interferir na administração, mas que aproximavam os brasileiros das corporações americanas. Para ajudá-lo nos negócios, Behring montou uma equipe enxuta, com menos de 40 pessoas. (Ao longo de sua história nenhum funcionário do 3G atraiu tantos holofotes quanto Marc Mezvinsky, que viria a se casar com Chelsea Clinton, filha do ex-presidente americano Bill Clinton, em 2010. Meses depois, Mezvinsky deixou a empresa.) Desde o começo, Jorge Paulo, Marcel, Beto e Thompson estabeleceram uma rotina para acompanhar o novo investimento: uma vez por semana, em geral às terças-feiras, eles participam de uma teleconferência com Behring em que discutem todas as iniciativas do fundo.

O primeiro movimento mais visível do 3G aconteceu em dezembro de 2007, com a compra de 4,2% do capital da CSX, terceira maior companhia ferroviária dos Estados Unidos. Com faturamento superior a 10 bilhões de dólares, a CSX era uma companhia envelhecida. Para Behring, ela representava uma espécie de versão americana da brasileira ALL – e esse filme ele conhecia bem. A questão era saber se seria possível repetir a história com a CSX.

Behring precisaria de mais do que a fatia de 4,2% do 3G para mandar na companhia. Por isso, desde o início ele arquitetou o negócio contando com a presença de outro sócio, o Children's Investment Fund, conhecido como TCI. Trata-se de um fundo ativista baseado em Londres que já detinha 4,1% do capital da CSX e havia tempos procurava participar de sua gestão. Juntos, 3G e TCI imaginavam que poderiam controlar a companhia ferroviária, cujo capital estava pulverizado entre inúmeros investidores. Só que nem o conselho de administração nem os executivos da CSX estavam dispostos a se dobrar aos dois acionistas. Um longo embate judicial entre as partes teve início. Enquanto a briga corria na justiça, o máximo que 3G e TCI conseguiram foram quatro assentos no conselho, o equivalente a um terço dos lugares. Em minoria, eles podiam sugerir ajustes, sobretudo no que se referia a programas de redução de custos da empresa, mas não impor integralmente sua visão. Estava difícil virar o jogo.

Dois anos depois, o TCI desistiu e vendeu sua participação na ferrovia. Em 2011 foi a vez de o 3G sair do negócio. Durante os menos de quatro anos em que o 3G investiu na CSX, os papéis da empresa se valorizaram em torno de 80%. Em termos financeiros, um bom retorno para os brasileiros. Mas não poder ditar os rumos na empresa foi um tanto frustrante. Era mais ou menos o que havia acontecido 30 anos antes, quando o Garantia adquiriu pequenas participações na São Paulo Alpargatas e na varejista Lojas Brasileiras. Como não tinha cacife para interferir no comando das empresas, optou por sair de ambas.

Behring precisava caçar outro bom negócio. Dessa vez, um em que conseguisse mandar de verdade.

~

Do outro lado do Atlântico, três anos após sua formação, a InBev havia absorvido os principais mandamentos da cultura da Ambev. Todos os funcionários estavam cientes de suas metas – um trabalho feito a partir do topo até o chão de fábrica, com a ajuda da consultoria do professor Vicente Falconi – e participavam do novo programa de remuneração variável. A antiga resistência de parte dos empregados em relação ao modelo meritocrático da Ambev estava controlada, em parte porque muitos dos que reclamavam do novo estilo deixaram a companhia. A sinergia entre as duas cervejarias havia resultado em uma economia de cerca de 150 milhões de dólares. De 2005 para 2007, o lucro aumentou quase 150% – de 0,9 bilhão de euros para 2,2 bilhões de euros.

Para o trio de empresários brasileiros havia chegado a hora de avançar. Eles sempre tiveram a ambição de se tornar donos da maior cervejaria do mundo. Finalmente tinham a musculatura necessária para dar o passo final: arrematar a americana Anheuser-Busch, fabricante da Budweiser, a cerveja mais vendida no mundo.

Em 11 de junho de 2008, Carlos Brito enviou a August Busch IV, CEO da AB, uma carta em que formalizava a intenção de comprar a companhia. Em novembro, por 52 bilhões de dólares, Jorge Paulo Lemann, Marcel Telles e Carlos Alberto Sicupira se tornaram os controladores da cervejaria americana, formando a AB InBev.

A tomada foi rápida. Seis meses depois de concluída a compra, uma reportagem publicada pelo jornal *The Wall Street Journal* enumerava uma lista das mudanças conduzidas por Carlos Brito e sua turma de brasileiros na sede da AB, em St. Louis, no estado do Missouri. As paredes das salas dos executivos foram derrubadas para dar lugar a um amplo salão, onde os profissionais passaram a compartilhar a mesma mesa. O número de BlackBerries nas mãos dos executivos caiu de 1.200 para 720. A frota de aeronaves da cervejaria foi colocada à venda e os executivos passaram a viajar em aviões de carreira – na classe econômica, claro. A distribuição gratuita de cerveja acabou, assim como os ingressos para jogos do St. Louis Cardinals, time local de beisebol. Cerca de 1.400 funcionários – muitos deles com décadas de casa – foram demitidos nas primeiras semanas da nova gestão. Feitas as contas, em menos de um ano Brito e seu time já haviam cortado 1 bilhão de dólares em custos e se desfeito de ativos que somavam 9 bilhões de dólares. "Os empregados têm enfrentado dificuldades para engolir as mudanças. Alguns estão lutando com a carga de trabalho mais pesada, ansiosos com a segurança no emprego e frustrados com a ênfase no corte de custos", afirmava o jornal americano. Nada muito diferente do que acontecera na Brahma, na formação da Ambev e na InBev anteriormente. *One trick pony.*

A crise financeira mundial, que explodira em setembro de 2008, tornava as medidas adotadas por Brito ainda mais urgentes. A aquisição da AB exigiu que a InBev se endividasse demais, justamente num momento em que o dinheiro escasseava em todo o planeta. Por isso, o aperto dos cintos não se deu apenas na recém-comprada cervejaria americana. A orientação geral era de que todas as operações precisavam, mais do que nunca, reduzir seus gastos. No Brasil os planos para 2009 tiveram de ser revistos às pressas. João Castro Neves, diretor-geral da Ambev, conta como foi:

"Normalmente o orçamento que definimos para o ano seguinte começa a ser feito em julho, agosto. Então, quando a crise estourou, ele já estava praticamente pronto e teve que ser refeito em duas, três semanas. Precisamos agir rápido e mudar as metas. Em geral, temos quatro grandes metas por ano: participação de mercado, despesa, EBITDA e caixa. Percebemos que 2009 seria um ano de sobrevivência e decidimos focar em apenas duas: EBITDA e caixa. Aí é fazer o dever de casa. Como é que eu consigo estender algum prazo de pagamento? Como é que eu consigo adiar alguma ampliação de fábrica? Como fazer o lançamento de um produto não com 30 milhões de reais, mas com 20 milhões? Você começa a fazer escolhas... Nessas horas, o que não é essencial tem que esperar."

Brito e outros 39 executivos do topo da administração da AB InBev tiveram um incentivo extra para reduzir rapidamente as despesas e integrar a AB à cervejaria belgo-brasileira. Logo após a conclusão da compra, a AB InBev ofereceu ao grupo um pacote de 28 milhões de opções de ações, o equivalente na época a 1 bilhão de dólares. Os executivos só receberiam os papéis se conseguissem diminuir a dívida da empresa pela metade até 2013. Era tudo ou nada.

Não só Brito e sua tropa bateram a meta, como o fizeram dois anos antes do prazo. Assim como havia acontecido tantas vezes ao longo da trajetória de Jorge Paulo, Marcel e Beto, uma nova safra de milionários estava formada. Levando-se em consideração o preço das ações da AB InBev no início de 2013 – valorização de 270% desde a aquisição da AB –, a fatia prometida a Brito, CEO da empresa, chega a 500 milhões de reais. Trata-se, como observou uma reportagem da revista *Época Negócios*, do maior valor já pago em remuneração variável a um brasileiro. Como convém à cultura de Jorge Paulo e seus sócios, Brito não receberá o prêmio de uma só tacada. Ele vai ganhar metade das ações em 2014 e o restante em 2019 (portanto, o valor total a ser recebido pode subir ou descer, dependendo do preço dos papéis na época do pagamento). Os dados públicos da cervejaria mostram que Brito detém 0,18% das ações, o equivalente a quase 600 milhões de reais (esse valor não inclui o pacote de ações que ele receberá no futuro).

Desde o início, o implacável programa de corte de custos comandado pelo executivo após a compra da Anheuser-Busch despertou reações inflamadas. Brito se tornou ao mesmo tempo um executivo incensado em Wall Street (pelos resultados financeiros extraordinários que apresenta trimestre após trimestre) e abominado por parte da opinião pública (pelos efeitos colaterais de toda essa eficiência, como demissões de funcionários). Recentemente as críticas partiram de consumidores, que acusam a cervejaria de alterar o sabor das bebidas. Em outubro de 2012, uma reportagem de capa da revista americana *Bloomberg Business Week* escancarou o problema ao revelar como a busca pela redução das despesas vem afetando a fabricação dos produtos da AB InBev. Segundo a revista, a cerveja Beck's vendida nos Estados Unidos, antes

importada da Alemanha, agora sai da fábrica de St. Louis. A publicação afirma ainda que a companhia substituiu diversos fornecedores
tradicionais, como os de lúpulo, ingrediente fundamental para a fabricação da cerveja – com isso teria ao mesmo tempo piorado o sabor
da cerveja e arruinado os negócios de diversos pequenos fornecedores
dispensados do dia para a noite. "Ele [Brito] está arriscando a devoção
dos americanos que amam cerveja ao alterar a receita da Budweiser em
nome do corte de custos", resume a publicação.

~

Jorge Paulo Lemann não come hambúrgueres. Sua dieta, super-
-regrada, está mais para combinações do tipo "peixe com salada"
do que para "sanduíche com batatas fritas". Ironicamente, foi no setor
de fast-food que ele e seus sócios encontraram a segunda oportunidade para investir nos Estados Unidos. Desde que o 3G iniciou suas
operações em Nova York, o fundo capitaneado por Alex Behring se
dedicava a uma espécie de degustação no mercado de fast-food. Por
meio de pequenos aportes, colocou dinheiro nas redes Wendy's, Jack
in the Box e McDonald's. Behring aproveitou para aprender mais sobre esse universo e chegou à conclusão de que havia chance de dar
uma grande tacada. O alvo era o Burger King, uma das maiores ca-
deias de alimentação rápida do mundo, com presença em cerca de
70 países. Em 50 anos de atividade, o Burger King teve seis grupos de
controladores diferentes, e havia pelo menos uma década seus resultados minguavam. Enfim, um prato cheio para o 3G.

No final de 2009, Behring procurou um membro do conselho de
administração do Burger King sob o pretexto de que gostaria de conhecer melhor a companhia. Enquanto vasculhava tudo o que podia,
Behring se preparava para uma oferta. O banco Lazard foi contratado. No dia 29 de março de 2010, o CEO e presidente do conselho de
administração do Burger King, John W. Chidsey, recebeu uma carta

assinada por Behring. Nela, o brasileiro manifestava, agora oficialmente, seu interesse em comprar a rede.

Foram cinco meses de negociações intensas até o anúncio do negócio, em 2 de setembro de 2010, por 4 bilhões de dólares. O dinheiro não veio todo dos bolsos de Jorge Paulo, Marcel e Beto. O trio aportou 1,2 bilhão de dólares. O restante foi levantado com um grupo de investidores do qual faziam parte os bancos JP Morgan e Barclays Capital e empresários como Eike Batista e Alexandre van Damme, sócio do trio na AB InBev. Para comandar o Burger King, o escolhido foi Bernardo Hees, que havia meses preparava o executivo Paulo Basílio para sucedê-lo na presidência da ALL. (No Brasil, o 3G detém apenas 30% do capital do Burger King. A operação é controlada localmente pela Vinci, de Gilberto Sayão.)

Num evento organizado pela Endeavor, organização não governamental de apoio ao empreendedorismo, em 2011, Beto Sicupira comentou a aquisição:

"Não sei se vou aprender a comer hambúrguer, mas vou aprender a fazer... Eu cheguei à conclusão de que a marca [Burger King] é muito mais forte do que a gente achava. O Burger King não é uma companhia grande. É um negócio que, em todos os sentidos, é menos da metade da Lojas Americanas... Só não é em número de lojas, mas em EBITDA é menos da metade e o valor que a gente pagou é menos da metade do que vale a Lojas Americanas no mercado... Mas, a repercussão que teve! Eu tenho amigos em vários lugares do mundo e a notícia saiu em todos esses países. Ora, se você tem um conhecimento muito grande [da marca] e você tem um faturamento que não é do tamanho desse conhecimento, significa que você tem uma oportunidade muito grande aí..."

Jorge Paulo, Beto e Marcel acompanharam as negociações conduzidas por Behring à distância, mas, fechado o negócio, quiseram ver de perto o novo investimento. Contrariando seus hábitos alimentares, Beto e Jorge Paulo chegaram até a fazer degustação dos sanduíches do Burger King para saber o que realmente iriam vender pelo mundo (a opinião de Jorge Paulo sobre o resultado dessa inusitada experiência gastronômica foi que os lanches são grandes demais). Beto e Marcel ingressaram no conselho de administração, ao lado de Behring (que ocupa a presidência), Hees, Van Damme e outros três membros independentes. "Nos últimos 10 anos seguimos a estratégia certa, saímos de coisas que para nós eram periféricas para nos concentrar nas principais", diz Roberto Thompson, que hoje participa dos conselhos da AB InBev, da Ambev e da Lojas Americanas. "O nosso tempo é totalmente dedicado a essas coisas que são importantes, como agora é o Burger King... Na hora que você faz um cheque grande, você quer cuidar do cheque grande."

Ninguém tem tanta responsabilidade por zelar pelo "cheque grande" do Burger King quanto Bernardo Hees. Aos 42 anos, ele, a esposa e os dois filhos agora moram em Miami, onde fica a sede da companhia. Hees conheceu a filosofia do trio há mais de duas décadas, quando estudava economia na PUC do Rio e pleiteava uma bolsa na Fundação Estudar:

"Minha última entrevista para conseguir a bolsa era com o Beto, na Lojas Americanas. Naquela época, ele estava à frente da companhia. Eu lembro que achei legal esse negócio de um presidente de empresa como ele, que usava calça jeans. O Beto sentou, botou o pé na mesa e perguntou por que eu queria o dinheiro dele. Eu tinha 20 anos. Contei que precisava pagar os meus estudos. Meu pai tinha se aposentado, não estava em um momento legal. Graças a Deus ele tinha conseguido me levar até ali, mas agora era comigo, eu tinha que fazer a minha vida. Aí o Beto fez a segunda pergunta: 'Você vai gastar meu dinheiro com namoradas?' Respondi que eu queria a grana para pagar a PUC, mas que, se sobras-

se alguma coisa, ia gastar com namorada, sim. Ele riu da brincadeira.
Acho que ele gostou das minhas respostas e eu gostei daquela franqueza,
daquele estilo direto."

Hees completou a graduação na PUC e fez um MBA na Universidade de Warwick, na Inglaterra. Em 1998 começou a trabalhar na ALL como analista. Sete anos depois, chegou à posição de CEO. Em julho de 2010, ainda como principal executivo da ALL, tornou-se sócio do 3G. Era um sinal inequívoco de que uma transição no comando da empresa ferroviária estava em curso – e de que Hees se preparava para assumir outra posição.

Desde que chegou ao Burger King, Hees vem aplicando todos os princípios da filosofia do trio. Quadros com registro de metas e desempenho foram espalhados pela sede da companhia. Centenas de funcionários foram demitidos. Os executivos foram estimulados a sair dos seus escritórios para visitar lojas e até aprender a preparar sanduíches. No início de 2013 o valor de mercado do Burger King alcançava 6,2 bilhões de dólares, mais que o dobro da época em que o 3G arrematou a companhia (após a aquisição, o capital da empresa foi fechado e as ações voltaram a ser negociadas em junho de 2012). É uma ascensão considerável, mas que ainda deixa a companhia muito distante da líder do setor, o McDonald's, que vale quase 92 bilhões de dólares em bolsa.

À medida que a operação do Burger King começou a entrar nos trilhos, Alexandre Behring pôde diminuir um pouco sua dedicação à presidência do conselho da empresa para prospectar novos negócios. Ele tinha à sua disposição um fundo de 4 bilhões de dólares para investir em uma nova tacada – um dinheiro que vinha não apenas dos fundadores do 3G, mas também de investidores como as três famílias belgas sócias de Jorge Paulo, Marcel e Beto na AB InBev, por exemplo. Assim como aconteceu no Burger King, o alvo deveria ser uma companhia de marca forte e alcance global que pudesse melhorar seus resultados com um choque de gestão.

Em abril de 2012, quando a fabricante de cosméticos Coty protagonizou uma malsucedida oferta hostil pela Avon, especulou-se que o 3G estivesse por trás do negócio. Razões para essa desconfiança não faltavam. O alemão Peter Harf, presidente do conselho da Coty e principal articulador da oferta de compra da Avon, ocupou a presidência do conselho de administração da AB InBev até o início de 2012. O CFO da Coty, o brasileiro Sérgio Pedreiro, foi durante anos o principal executivo financeiro da empresa de logística ALL. Parte dos recursos para a possível compra da Avon viria da Berkshire Hathaway, a empresa de investimentos de Warren Buffett, velho amigo de Jorge Paulo Lemann (nos últimos tempos eles estreitaram tanto os laços que Buffett acompanhou Jorge Paulo em três workshops com Jim Collins, no Colorado). As impressões digitais do trio estavam, enfim, por toda parte.

Alex Behring só conseguiria encontrar a empresa ideal para investir os bilhões que tinha em caixa oito meses depois.

Os próximos lances

Susanna Lemann tomou um susto logo nas primeiras horas do dia 30 de novembro de 2012, uma sexta-feira. Ela estava na cozinha de sua casa, na Suíça, e ligou o rádio para ouvir as notícias locais enquanto tomava seu café da manhã. Foi quando o locutor citou o nome de seu marido. Ela está habituada a ler referências a Jorge Paulo Lemann em jornais e revistas, mas escutar seu nome pelo rádio era diferente. Isso jamais havia acontecido. A razão para que Jorge Paulo entrasse no noticiário popular era a recém-divulgada lista da revista *Bilan* com as maiores fortunas da Suíça. Com dupla cidadania – brasileira e suíça –, ele há anos era incluído no ranking, sem muito destaque. Dessa vez, ocupava a segunda colocação, atrás do sueco Ingvar Kamprad, fundador da rede varejista Ikea. Horas mais tarde, naquele mesmo dia, o ranking de bilionários globais atualizado diariamente pela agência de notícias Bloomberg mostraria que o suíço-brasileiro havia ultrapassado Eike Batista, controlador do grupo EBX, e se tornado o homem mais rico do Brasil, com uma fortuna então estimada em 18,9 bilhões de dólares. Segundo pessoas próximas a Jorge Paulo, ao saber das duas novidades, o empresário não se abalou. "Quando Sam Walton aparecia nas listas das pessoas mais ricas do mundo, a gente perguntava o que ele achava e ele respondia que as listas não mudavam nada, porque era tudo papel. Ele falava que as coisas realmente importantes eram outras. Eu acho a mesma coisa", disse o empresário.

Coisas importantes para ele são pensar na perpetuação de suas empresas e em suas iniciativas de filantropia. À medida que se afastou do cotidiano das companhias que controla, Jorge Paulo passou a se dedicar a projetos na área de educação. Atualmente, cerca de um terço de seu tempo é ocupado por atividades ligadas às fundações Estudar e Lemann. Em ambas é possível encontrar a cultura de austeridade e de busca por resultados que permeia suas empresas. Além de estruturas enxutas – juntas, as duas fundações não somam 25 pessoas –, todos os funcionários têm metas a cumprir. A Estudar, fundada em 1991 pelos três empresários, já distribuiu 529 bolsas de graduação e pós-graduação a alunos brasileiros aqui e no exterior. Cada um dos aprovados foi submetido ao crivo do trio. Passaram por esse funil gente como o gaúcho Mateus Bandeira, ex-presidente do Banrisul e hoje no comando da empresa de consultoria criada por Vicente Falconi, e vários estudantes que depois vieram a ocupar cargos de destaque em companhias controladas pelos três empresários, como João Castro Neves e Bernardo Hees.

Jorge Paulo atua também como uma espécie de embaixador da Estudar no exterior. É em grande medida graças a seus contatos em universidades estrangeiras que a Estudar traz ao Brasil regularmente representantes de instituições de primeira linha para dar palestras a jovens brasileiros. No início de 2011, por exemplo, a presidente de Harvard, Drew Faust, esteve no país a convite da fundação para falar sobre a experiência de estudar na prestigiada instituição americana. Jorge Paulo, ex-aluno e grande doador de recursos para a universidade, foi seu anfitrião e a acompanhou inclusive em uma visita à presidente da República, Dilma Rousseff.

A agenda do maior acionista da AB InBev é ocupada também com atividades da Fundação Lemann, criada em 2002 para ajudar a melhorar a qualidade da educação pública no Brasil. Os primeiros passos da instituição foram oferecer treinamento para professores e gestores de escolas públicas. Nos últimos anos, a Fundação Lemann ganhou atuação internacional. Em 2012, fechou uma parceria com a Universidade Stanford para criar um centro de estudos de empreendedorismo e inovação para a educação brasileira. Além disso, mantém outras duas parcerias internacionais com as universidades Harvard e de Illinois para conceder bolsas a alunos dessas instituições que tenham o Brasil como foco de seus estudos. Em janeiro de 2013, o americano Salman Khan, conhecido como o "professor de Bill Gates", veio ao Brasil para falar sobre seu método de ensino que vem revolucionando a educação em todo o mundo, com aulas exibidas no YouTube (em 2012 a Fundação Lemann fechou um acordo com a Khan Academy para traduzir suas aulas para o português).

Marcel Telles e Beto Sicupira, além do envolvimento com a Estudar, criaram outras fundações. No caso de Marcel, a iniciativa é a Ismart, uma ONG que oferece bolsas de estudos em colégios particulares de primeira linha para alunos de baixa renda. Além de compor o conselho de administração da fundação, Marcel participa da seleção final dos bolsistas – até hoje pouco mais de mil estudantes já foram beneficiados. Beto, por sua vez, divide-se entre outras duas fundações. A primeira é a Endeavor, uma organização americana de apoio ao empreendedorismo que iniciou suas atividades no Brasil em 2000 graças ao empresário. Com o passar dos anos, a operação local da Endeavor se transformou numa poderosa máquina de multiplicação de novos negócios no país. Além de apoiar diretamente 56 empresários – tanto financeiramente quanto por meio de treinamento, formação de networking e coaching –, a Endeavor replica lições de empreendedorismo a qualquer interessado no assunto, por meio de cursos presenciais e pela internet e de eventos realizados em diversos locais do país. Segundo cálculos da própria fundação, a Endeavor teve até hoje impacto direto na geração de mais de 20 mil empregos no país.

Em 2012, Beto passou a presidência do conselho de administração da Endeavor, posição que ocupava desde o início das atividades da ONG no país, para Laércio Cosentino, dono da Totvs (ele se manteve como um dos membros do conselho). Ou seja, mesmo nas fundações, segue-se a premissa de que "a fila tem que andar" e de que é preciso perpetuá-las mesmo que seus idealizadores não estejam por perto no futuro. "Uma vez Beto me disse que tudo que tu fizeres de importante e construíres na vida precisa ser institucionalizado. Senão é como se tu não tivesses feito nada", lembra Jorge Gerdau. "Eu nunca esqueci essa frase."

Beto Sicupira e Jorge Gerdau se conhecem desde os tempos do Banco Garantia, mas foi na última década que a proximidade aumentou. A segunda iniciativa de Beto no terceiro setor é a Fundação Brava, voltada para o apoio a melhorias na gestão pública. Gerdau iniciou, em 2000, uma cruzada pelo país para ajudar estados e municípios a ganhar eficiência. Os caminhos dos dois empresários seguiam paralelos até que se cruzaram em 2007, depois de um empurrãozinho de Vicente Falconi – braço direito de Gerdau no choque de gestão no setor público. A busca dos dois por melhorias na gestão pública já chegou a estados como Minas Gerais, Rio Grande do Sul, Pernambuco e Rio de Janeiro. Em maio de 2011, o processo ganhou a esfera federal com a criação da Câmara de Gestão e Planejamento do governo federal, da qual Gerdau é coordenador.

Fiel ao seu estilo mão na massa, Beto não se contenta apenas em participar de reuniões com governadores e representantes do governo. "Ele já foi a uma reunião com oficiais da Polícia Militar do Rio meio camuflado", diz uma pessoa próxima ao empresário. "Ficou no fundo da sala, com boné na cabeça para não ser reconhecido, porque queria acompanhar de perto a evolução de um projeto na área de segurança." O Rio de Janeiro é o estado onde Beto gasta a maior parte de seu tempo nesse esforço pela melhoria da gestão. Eis a opinião do governador do estado, Sérgio Cabral, sobre a interferência do empresário:

"O Beto é um conselheiro que tenho o privilégio de ter ao meu lado permanentemente... Sei que circula entre as secretarias e discute com os meus auxiliares... Ele chega com aquela calça jeans surrada, com aquela mochila nas costas, o sujeito mais simples do mundo mesmo com toda aquela experiência, e se comportando como se fosse um auxiliar meu... Eu diria que o maior estímulo [dado por Beto ao meu governo] foi em relação à criação da política de meritocracia. Foi um grande desafio porque tem toda uma legislação falsamente igualitária construída no Brasil ao longo de décadas na relação com os servidores. Nós tivemos que construir maneiras de encontrar a política de meritocracia sem fugir das legislações vigentes..."

O crescente envolvimento de Jorge Paulo, Beto e Marcel com iniciativas filantrópicas não significa que deixaram os negócios em segundo plano. Eles não estão satisfeitos em ter a maior cervejaria do planeta, uma das maiores varejistas do Brasil e uma rede de fast-food com presença em todo o mundo. Querem mais. Não importa que a Ambev tenha encerrado o ano de 2012 como a companhia mais valiosa da América Latina. Não importa que as principais empresas controladas por eles – AB InBev (dona da Ambev), Lojas Americanas (dona da B2W), Burger King e São Carlos – valham, juntas, mais de 160 bilhões de dólares. Não importa que Ambev, Lojas Americanas e São Carlos tenham uma rentabilidade histórica média de 25% ao ano desde que começaram a ser administradas por eles. Jorge Paulo Lemann, Marcel Telles e Beto Sicupira continuam à caça de oportunidades para avançar, sempre se apoiando nos seus pilares originais: meritocracia, corte de custos, melhoria contínua.

É com a receita testada por décadas que querem transformar outras duas companhias recém-compradas. A primeira é a mexicana Modelo, fabricante da cerveja Corona, arrematada em junho de 2012 por

20 bilhões de dólares. A aquisição, que no início de 2013 ainda dependia do aval de órgãos reguladores americanos, deixará a AB InBev mais distante da segunda maior fabricante de cerveja do mundo, a SABMiller.

A segunda aquisição foi a da secular fabricante de condimentos americana Heinz, anunciada em fevereiro de 2013, por 28 bilhões de dólares – a maior transação da história no setor de alimentos. A compra da Heinz surpreendeu o mundo não apenas pelo valor, mas também porque transformou os brasileiros em donos de três icônicas marcas americanas – Budweiser, Burger King e Heinz. De quebra, os tornou sócios do megainvestidor Warren Buffett.

Fazia tempo que Alexandre Behring e outros executivos do 3G acompanhavam os resultados da mais conhecida fabricante de catchup do planeta. Até mesmo Marc Lemann, o quarto filho de Jorge Paulo, foi envolvido nessa observação. Durante um rápido estágio no 3G no verão de 2009, Marc recebeu de Behring a tarefa de analisar o desempenho da Heinz. Na época, Marc tinha 17 anos e cursava o ensino médio na Suíça (hoje estuda economia na Universidade Columbia, em Nova York). O jovem ficou empolgado com o que viu. Fez uma pequena apresentação ao pessoal do 3G e recomendou a compra de ações da companhia, na época cotadas a menos de 40 dólares. Porém, em vez de seguir a opinião do garoto, os sócios do 3G preferiram comprar papéis de outras empresas das áreas de bebidas e alimentos.

Mais de três anos se passaram até que o 3G finalmente avançasse sobre a Heinz. Na primeira semana de dezembro de 2012, durante uma conversa com Jorge Paulo Lemann, Behring sugeriu que a firma de investimentos comprasse o controle da empresa americana, um colosso com faturamento anual de 11,6 bilhões de dólares. Argumentou que a companhia tinha uma marca poderosa, presente em mais de 200 países, e crescia, em média, um dígito por ano (no Brasil é dona da fabricante Quero, sediada em Goiás). Em sua opinião, havia potencial para expandir muito mais rápido. Jorge Paulo se animou imediatamente. Ele estaria com Buffett no Colorado dentro de alguns dias, para participar de um workshop com Jim Collins, e apresentaria a ideia ao dono da Berkshire Hathaway.

Em 9 de dezembro, durante um voo de Boulder para Omaha, o brasileiro contou o plano para Buffett. Decidiram ali mesmo que o negócio deveria ser levado adiante. Em pouco tempo Jorge Paulo e Behring marcaram um jantar com William Johnson, presidente do conselho e CEO da Heinz. O encontro, que aconteceu na segunda quinzena daquele mês, em um restaurante da Flórida, marcou o início das negociações. A partir daquele momento Jorge Paulo saiu do circuito e coube a Behring conduzir as conversas com a Heinz.

Logo após as festas de final de ano, Behring embarcou para Pittsburgh, onde há mais de um século a Heinz mantém sua sede. Lá, as conversas foram aceleradas. Seis bancos e quatro escritórios de advocacia foram contratados pelos dois lados para estruturar a operação – na fase final, cerca de 300 pessoas estavam envolvidas.

Buffett acompanhou a movimentação à distância. Foi apenas na segunda-feira, 11 de fevereiro de 2013, que ele se envolveu diretamente. Com o negócio prestes a ser concluído, recebeu Behring e Johnson para um almoço em um restaurante simples de Omaha. Era o que faltava para que o martelo fosse batido. Três dias depois, Berkshire Hathaway e 3G Capital anunciavam a compra da companhia por 72,50 dólares por ação – um prêmio de 20% sobre a cotação do dia anterior. Cada uma das firmas investiu 4,5 bilhões de dólares para assumir o controle da Heinz (a Berkshire desembolsou outros 8 bilhões de dólares em ações preferenciais).

Enquanto a transação é submetida às aprovações legais – um processo que deve se estender até o terceiro trimestre de 2013 –, Behring e sua equipe poderão conhecer de perto os detalhes da Heinz e desenvolver um plano com as mudanças a serem colocadas em prática caso a compra seja autorizada. "A Heinz está muito distante de ser uma AB InBev da comida (ocupa a 13ª posição do setor globalmente). Mas com os brasileiros no leme e Mr. Buffett na retaguarda ela provavelmente vai subir", opinou a revista *The Economist*.

O avanço de Jorge Paulo, Marcel e Beto no exterior não deve parar por aí. De acordo com pessoas próximas ao trio, outras grandes companhias estrangeiras estão no radar dos brasileiros. Já faz alguns anos que os rumores sobre uma eventual compra da Pepsico ou da Coca-Cola pela AB InBev surgem aqui e ali. Com a primeira, a AB InBev está familiarizada há décadas, desde que a antiga Brahma tornou-se a responsável pela distribuição dos refrigerantes americanos no Brasil. No caso da Coca-Cola, a aproximação poderia se dar por outro caminho: Warren Buffett, o maior investidor individual da empresa, com 9% de participação.

Será que Buffett estaria articulando com o amigo – e agora sócio – Jorge Paulo Lemann a compra do controle do maior ícone americano, uma companhia avaliada em quase 169 bilhões de dólares (mais que o dobro da rival Pepsico)?

Quando ouve a pergunta, o megainvestidor americano inclina a cabeça para trás, solta uma gargalhada e diz: "Aqui você não vai conseguir nada."

Bibliografia

"A cerveja põe seu dedo na Copa". *Veja*, 8 jun. 1994.

"Agressividade é marca do Banco Garantia". *Folha de S.Paulo*, 27 mar. 1995.

"A hipótese de Lula". *Veja*, 29 nov. 1989.

ALMEIDA, Lívia de. "Todas as cores do dinheiro". *Veja*, 19 jan. 1994.

AGUIAR, Marcelo; KASSAI, Lucia. "4 Meninos e suas Ferraris". *IstoÉ Dinheiro*, 12 abr. 2000.

BALARIN, Raquel. "CSFB conclui aquisição do Garantia". *Valor Econômico*, 1º nov. 2001.

BARROS, Guilherme. "Livre para assumir novos riscos". *Época*, 15 jun. 1998.

BARROS, Guilherme; BREITINGER, Jaqueline. "O rolo compressor está chegando". *Exame*, 22 jun. 1994.

"BC descredencia Garantia e Multiplic como 'dealers'". *O Globo*, 29 jun. 1995.

COHAN, William D. *Money and Power — How Goldman Sachs Came to Rule the World*. Londres: Penguin Books, 2012.

COHEN, David; VITURINO, Robson; VIEIRA, André. "Quanto você vale". *Época Negócios*, set. 2012.

CORREA, Cristiane. "A invasão brasileira na Bélgica". *Exame*, 18 out. 2005.

_____. "Ele quer dominar o mundo". *Exame*, 26 jun. 2008.

_____. "Essa desceu quadrado". *IstoÉ*, 17 nov. 1999.

_____. "No limite". *Exame*, 13 dez. 2000.

_____. "Todas as faces da GP". *Exame*, 8 jan. 2002.

CORREA, Cristiane; AMORIM, Lucas. "Os multiplicadores de talentos". *Exame*, 24 mar. 2010.

CORREA, Cristiane; CAETANO, José Roberto. "Os brasileiros que chegaram ao topo". *Exame*, 17 mar. 2004.

CORREA, Cristiane; NAPOLITANO, Giuliana. "Comprar empresas é com eles". *Exame*, 21 mai. 2008.

COSTA, Maira da. "GP Digital". *Exame*, 25 ago. 1999.

COSTA, Roberto Teixeira da. *Mercado de capitais – Uma trajetória de 50 anos*. São Paulo: Imprensa Oficial, 2006.

CUNHA, Rodrigo Vieira da. *Como fazer uma empresa dar certo em um país incerto – Conselhos e lições dos 51 empreendedores mais bem-sucedidos do Brasil*. Rio de Janeiro: Campus, 2005.

"Derrota na Davis". *Veja*, 4 abr. 1973.

DINES, Alberto. "Ficaram todos muito felizes". *Vip*, 1º set. 1997.

ELLIS, Charles D. *The Partnership — The making of Goldman Sachs*. Londres: Penguin Books, 2008.

"Falta cerveja, como nos últimos 7 anos". *Folha da Tarde*, 30 dez. 1987.

FERRAZ, Eduardo. "A sucata virou ouro". *Exame*, 21 fev. 2001.

"Fora da Davis". *Veja*, 29 mar. 1972.

GAMBIRASIO, Alexandre. "No Garantia, o mérito da meritocracia". *Gazeta Mercantil*, 29 abr. 1991.

GRINBAUN, Ricardo; KASSAI, Lúcia. "O fim do Matrix", *IstoÉ Dinheiro*, 10 jul. 2002.

"Guinada na Brahma". *Veja*, 1º nov. 1989.

"Hopping". *The Economist*, 25 mar. 2004.

JANE, Joyce. "Lara Resende deixa Banco Garantia". *Jornal do Brasil*, 22 nov. 1988.

JARDIM, Lauro. "A última grande jogada". *Veja*, 20 mai. 1998.

_____ . "A Budweiser é nossa". *Veja*, 23 jul. 2008.

_____ . "No assento ejetável". *Veja*, 5 ago. 1998.

KAHN, Joseph. "Credit Suisse Buying Brazil Investment Bank". *The New York Times*, 11 jun. 1998.

KAUFMANN, Luiz. *Passaporte para o ano 2000*. São Paulo: Makron Books, 1991.

KESMODEL, David; VRANICA, Suzanne. "Unease Brewing at Anheuser As New Owners Slash Costs". *The Wall Street Journal*, 29 abr. 2009.

LAMOUNIER, André. "Como é difícil virar a número 1". *Exame*, 8 mai.1996.

LEONARD, David. "The Plot to Destroy America's Beer". *Business Week*, 25 out. 2012.

LETHBRIDGE, Tiago. "Gestão brasileira feita por brasileiros". *Exame*, 24 fev. 2010.

LETHBRIDGE, Tiago; CORREA, Cristiane. "Quem precisa de banco?". *Exame*, 14 dez. 2011.

LEWIS, Michael. *O jogo da mentira – sucesso por entre as ruínas de Wall Street*. Rio de Janeiro: Campus, 1992.

"Lobos e cordeiros da Bolsa". *Veja*, 24 mai. 1972.

"Nenhum coração é de ferro". *Exame*, 22 jun. 1994.

MACINTOSH, Julie. *Dethroning the King – The Hostile Takeover of Anheuser-Busch, an American Icon*. Nova Jersey: John Wiley & Sons, 2010.

MANO, Cristiane; AMORIM, Lucas. "Uma nova máquina de negócios bilionários". *Exame*, 20 set. 2010.

MATTOS, Adriana; ADACHI, Vanessa; CASADO, Letícia. "Buffett e 3G compram a Heinz". *Valor Econômico*, 15 fev. 2013.

NETO, José Salibi. "Os princípios de uma vitoriosa cultura de gestão do Brasil". *HSM Management*, jan./fev. 2008.

"O banqueiro atrás das grades". *Veja Rio*, 25 ago. 2010.

"O jogo está dado". *Exame*, 15 abr. 1992.

"O País do futuro virou a terra dos paradoxos". *Exame*, 9 ago. 1989.

NOGUEIRA, Paulo. "A número 1 brilha no topo do pódio". *Exame*, 4 set. 1991.

_____. "Réquiem por uma era". *Exame*, 3 jun. 1998.

"Now, 56 varieties". *The Economist*, 23 fev. 2013.

OGAWA, Alfredo. "A guerra das cervejas". *Exame*, 12 jan. 2000.

PIGNAL, Stanley; Barker, Alex. "Bud's Top Tier to Share 1.2bn bonus Pot". *Financial Times*, 9 mar. 2012.

PINHEIRO, Flávio. "O GP do Garantia". *Veja*, 6 out. 1993.

PORTELLA, Andréa. "Motorista salva filhos de empresário de seqüestro". *O Estado de S. Paulo*, 10 mar. 1999.

RYDLEWSKI, Carlos; MARTINHO, Victor. "O Brasil desarmou a bomba". *Veja*, 14 set. 2005.

ROMERO, Simon. "Brazil Beer-Merger Partners Charge Obstruction by Coke". *The New York times*, 11 fev. 2000.

SÁ, Luiz Fernando. "O número 1". *Interview* , mar. 1994.

SIMONETTI, Eliana; ALMEIDA, Raquel. "O caçador de empresas". *Veja*, 11 jun. 1997.

_____. "Grã-finos na lona". *Veja*, 10 set. 1997.

SCHROEDER, Alice. *A bola de neve – Warren Buffett e o negócio da vida*. Rio de Janeiro: Sextante, 2008.

VASSALLO, Cláudia. "A vida depois do Garantia". *Exame*, 7 out. 1998.

_____. "Saúde!". *Exame*, 14 jul. 1999.

_____. "O modelo não era tão modelo assim". *Exame*, 11 set. 1996.

VERSIANI, Isabel; CABRAL, Otávio. "Relatora aprova Ambev com restrição". *Folha de S.Paulo*, 30 mar. 2000.

WALTON, Sam; HUEY, John. *Walton – Made in America*. Rio de Janeiro: Campus, 1995.

Agradecimentos

onheci Jorge Paulo Lemann pessoalmente em janeiro de 2007, quando revelei minha intenção de escrever um livro sobre a trajetória dele e a de seus sócios, Marcel Telles e Beto Sicupira. No melhor estilo low profile, Jorge Paulo educadamente se esquivou. "A gente só copiou um pouco do Goldman Sachs e um pouco do Walmart. Não tem muito mais que isso. Além do mais, acho que não é a hora certa de ter um livro." Nos quatro anos seguintes insisti no assunto com os três empresários. Nada. Finalmente me dei conta de que, para eles, a "hora certa" jamais chegaria – Jorge Paulo, Marcel e Beto simplesmente não desejavam esse tipo de exposição. Decidi, então, correr o risco por conta própria.

Para escrever um livro nessas condições, contei com os depoimentos de quase 100 pessoas (várias delas sob condição de anonimato). Warren Buffett é certamente o nome mais conhecido dessa lista. Durante a hora em que conversamos em seu escritório, o quarto homem mais rico do mundo se mostrou um sujeito simples e curioso (fez várias perguntas sobre o Brasil). Sua visão sobre a trajetória dos três empresários foi fundamental para esta obra.

Contei com a ajuda de uma série de pessoas próximas a Jorge Paulo, Marcel e Beto. Alguns desses entrevistados foram generosos o suficiente para me receber mais de uma vez e responder a um sem-número de e-mails. Agradeço particularmente a Fersen Lambranho, Alex Behring, Roberto Thompson, Paulo Aragão, José Carlos Ramos da Silva, Marcelo Barbará, José Olympio Pereira e Rogério Castro Maia. Milton Seligman e Alexandre Loures, responsáveis pela área de comunicação da Ambev, tornaram muito mais fácil meu trabalho de mergulhar nas informações da companhia e entrevistar seus executivos.

Jim Collins, que tive o prazer de entrevistar diversas vezes durante os quase 12 anos em que trabalhei na revista *Exame*, aceitou o convite para escrever o prefácio (talvez ele tenha achado mais fácil concordar do que aturar meus insistentes pedidos). Em poucas páginas, Collins resumiu de forma primorosa a filosofia que norteia os empresários brasileiros.

Tomar a decisão de escrever este livro teria sido mais difícil sem as conversas que antes tive com algumas pessoas, em especial com Pedro Mello, Alfredo Ogawa e o casal Carmen e Laurentino Gomes. Cada um à sua maneira, eles me orientaram para que eu fizesse o menor número de bobagens durante o processo. Não posso deixar de mencionar Eduardo Oinegue, que praticamente me forçou a tomar coragem e encarar o projeto. Sem o empurrão dele, talvez eu estivesse esperando a "hora certa" até hoje.

Sou grata também aos amigos que leram a primeira versão do texto (em parte ou na íntegra), corrigiram erros, sugeriram mudanças e apontaram caminhos para deixar a leitura mais agradável. São eles Patrícia Hargreaves, Dimitri Abudi e meus editores Hélio Sussekind e Marcos da Veiga Pereira. A enorme dedicação de Hélio e Marcos ao projeto foi fundamental para que eu me sentisse segura em levá-lo adiante.

Eu jamais teria completado este livro (ou qualquer outra coisa em minha vida) sem o apoio e a influência de meus pais, Edinézia e Domingos.

INFORMAÇÕES SOBRE A SEXTANTE

Para saber mais sobre os títulos e autores
da EDITORA SEXTANTE,
visite o site www.sextante.com.br
e curta as nossas redes sociais.
Além de informações sobre os próximos lançamentos,
você terá acesso a conteúdos exclusivos
e poderá participar de promoções e sorteios.

 www.sextante.com.br

 facebook.com/esextante

 twitter.com/sextante

 instagram.com/editorasextante

 skoob.com.br/sextante

Se quiser receber informações por e-mail,
basta se cadastrar diretamente no nosso site
ou enviar uma mensagem para
atendimento@sextante.com.br

Editora Sextante
Rua Voluntários da Pátria, 45 / 1.404 – Botafogo
Rio de Janeiro – RJ – 22270-000 – Brasil
Telefone: (21) 2538-4100 – Fax: (21) 2286-9244
E-mail: atendimento@sextante.com.br